気がるに園内研修スタートアップ

みんなが活きる研修テーマの選び方

那須信樹　矢藤誠慈郎　野中千都
瀧川光治　平山隆浩　北野幸子

わかば社

気がるに 園内研修スタートアップ

みんなが活きる 研修テーマの選び方

那須信樹　矢藤誠慈郎　野中千都
瀧川光治　平山隆浩　北野幸子

わかば社

はじめに

令和の時代に入り、これまで以上に保育の質の確保・維持、そして向上に向けた継続的な取り組みが求められています。とりわけ、幼稚園・保育所・認定こども園等における保育者の資質の向上を支える園内外における往還性を伴う研修の重要性が強調されています。

ところが、新規開設の園などでは、子どもも保育者も慣れない園生活の中でめまぐるしく過ぎ去る日々に、園内研修どころではないといった実情もあるようです。他方、園の歴史は長いものの、参加者のモチベーションの差から園内研修が対話の場にならず、特定のメンバーだけが発言をしたり、研修効果の実感が伴わないやりっぱなしの園内研修になっているという園長の悩みも聞かれたりします。そして、園内研修担当者から寄せられる悩みの多くが、実は「園内研修のテーマの設定の仕方」にあることもわかってきました。

本書には書名の通り、まずは「気がるに園内研修に取り組んでみませんか？」というメッセージが込められています。園内研修だからといって構えすぎず、子どもや保育のこと、保護者のことなどについて“気がるに”話をはじめてみませんかとの思いからこの本が生まれました。そして、サブタイトルにある「みんなが活きる研修テーマ」とは、いい方を変えれば「職員みんながそれぞれの持ち味（特徴）を活かしながら、安心感をもって活き活きと働き、活躍することができるようになる研修テーマ」を意味しています。

本書の基本的なコンセプトとしては、何より「保育の質の向上に資する業務として位置づけられている園内研修」を支えることのできる内容であること、日々の保育においてもっとも重視すべきは、その保育実践は、またその環境はすべて「子どもにとってどうなのか」という「問い」に帰すべきだという点にあります。保育者として、常にこの「問い」をもち続け、その問いかけを自らに対して、組織に対して発信し続けること、保護者や地域社会に対して継続的に発信し続けることが自律的な専門職として求められる倫理なのではないでしょうか。だからこそ、この「問い」を生み出すためにも、子どもをよく見て、その声をよく聴き、社会における子どもの存在という事実に向き合うことが求められます。「問い」は視点を明示し、問いかけ合うことは方向目標の共有につながります。そこに必要な記録が生まれ、対話を生み出し、この対話という学び合いのプロセスの中に人材が育つ環境が生まれます。そして何より大切にしたいことは、「気がるさ」は安心できる職場でこそ生まれる心情や意欲であり、行動を伴う態度の変容につながるものだということです。

保育はみんなで高め合い、創造し続けるおわりのない旅のようなものです。問いかけ合い、考え合える組織になるため、「園内研修」という場で、「みんなが活きる研修テーマ」の設定と具体的な研修の展開について“気がるに”楽しみながら取り組んでみましょう。

2020年8月

著者を代表して　那須信樹

CONTENTS

本書について

- 本書に掲載している園内研修の実践例（Case）では、以下のような構成で園内研修のテーマの選び方について解説しています（本書 p. 20 ～ 21 参照）。

Step 1 ［各Caseのテーマから思いつく「キーワード」を、個人あるいは園全体でたくさん出していきます。本書では例として５つ提示しています。

Step 2 ［出された「キーワード」を踏まえ、自園の「現状」と今後の「目指したい保育の方向性」について、個人あるいは園全体で言語化し共有します。

Step 3 ［自園の現状と目指したい保育の方向性をもとに、個人あるいは園全体で具体的な「研修テーマ」「研修内容」を考え、その研修の参考となる資料についてもまとめていきます。

Step 4 ［各Case「研修テーマ例」の中から一つ、「園内研修例」の手順を紹介します。

Step 5 ［紹介した研修をどのように日常の保育に活かしていくかを解説しています。

※ なお、各CaseのStep1～Step 3はみなさんの園でも考えることができるように、「Let's think」として、書き込めるスペースも設けていますので、ぜひ活用してください。

- 本書に掲載の子どもや研修場面の写真はイメージ写真です。
- 本書では「COLUMN」として、本文に関連した知識や情報などを囲み記事で紹介しています。
- 巻末資料として、園内研修などですぐに活用できるシートを掲載しています。本書掲載のサンプルシートをコピーし、さまざまな研修に活用してください。

研修テーマってどう選ぶの？

研修テーマの選定は、何より保育者や管理職が、そのときどきにおいて必要と感じている“身近な”ことに基づいて選択されることが肝要です。実効性に乏しい、また柔軟性を欠く年間研修計画のもとに展開されるような園内研修の場合、職員のモチベーションは次第に下がってしまいます。これを避けるためにも、まずはそれぞれの職員が感じている保育の喜びや手応え、疑問や課題を気がるに語り合える環境づくりが必要です。研修テーマの大・小（組織的なもの・個人的なもの）にかかわらず、自園の子どもの理解を深めるために、また組織的な保育力の向上のために、みんなで“気がるに”研修テーマを出し合い、語り合い、その優先順位をつけながら園内研修に取り組んでみてはどうでしょうか。

もちろん、“気がるに”とはいえ研修テーマの設定も気がるに適当でよい、ということではありません。園内研修に取り組むということは、もとより保育という現実、保育専門職としての自分や同僚、そして子どもという存在に真摯に向き合うことにほかなりません。一口に園内研修といってもさまざまなスタイルがあります。特にテーマなど決めずに、それこそ“気がるに”子どものことや保育業務のことで立ち話をすることが日常の保育の充実や改善にもつながる可能性はあるわけです。目の前にいる子どもの姿を見つめながら、あるいは職務上何か気になることがあれば、まずは“気がるに”語り合うことでも意味のある対話が生み出されます。少しまとまった時間の確保ができるようになってくれば、保育所保育指針（以下、指針）や幼稚園教育要領（以下、要領）、幼保連携型認定こども園教育・保育要領（以下、教育・保育要領。なお、指針、要領、教育・保育要領を総称して「指針・要領等」と表記する）に示されている保育内容（３つの視点や５領域）が自園においてどのように具現化できているのか、このことを考えるためのテーマを指針・要領等に示されている内容やキーワードを手がかりに研修テーマを設定するというやり方もあります。

本書でいう「研修のテーマを選ぶ」ということは、いい方を変えれば、まずは子どもの理解を深めるための、あるいは日々の保育の質の向上のための「問いを立てる」ということです。日々展開されている保育という営みや子どもの姿を見つめ、また振り返るとき、そこには職員間の「対話」とともにさまざまな「問い」が生まれる可能性があります。日常の保育では、「うまくいった！」「子どもに変化が現れた」「準備した素材が保育者の想像を超えた子どもの作品を生み出すきっかけとなった」「何だかよくわからないけど子どもとピタッと気持ちが合った」などの手応えを感じるときもあるでしょう。一方で、「子どもが落ち着かずトラブルばかり」「同じクラス担当の先輩保育者とうまくコミュニケーションがとれない」「この行事、いったい誰のために？」「本当はもっとゆっくりと子どもとかかわりたいのに」などの課題や専門職としてのジレンマに陥ったりするときもあるでしょう。

このように、子どもの姿を見つめ、日常の保育を振り返ることは、園内研修のテーマを生み出す大切な契機となります。しかし、単に振り返るだけでは意味のある研修テーマは生まれません。「なぜあの日の保育はうまくいったのか？」「なぜ子どもに変化が現れたのか（あるいは現れなかったのか）？」「なぜ先輩保育者とうまくコミュニケーションがとれないのか」のように、「なぜ？」を問うことが必要です。そこに、管理職や保育者をはじめとするすべての職員にとって、また園にとっての必要かつ適切な研修テーマが立ち現れてくると考えられます。

そもそも園内研修を行うのは、すべては保育の質の向上のために、何より子どものために、ということになります。とはいえ、組織としての成熟度も踏まえた上での展開を考えるという配慮をすることも管理職には求められます。新規に開設したばかりの園と何十年も保育実践の蓄積がある園とでは状況も異なります。重点化して取り組みたいテーマや内容が異なっても不思議ではありません。あわせて、あまりにも管理職やミドルリーダーが熱心になりすぎると、いつしか園内研修自体が息苦しいものとなってしまい、結果、研修自体の形骸化を招く恐れがあることも知っておく必要があります。

次頁より、特にこれから園内研修に取り組みはじめようとしている園における悩みや課題を中心に紹介し、個人として、また組織としての「研修テーマ」の導き出し方から実際の園内研修の取り組み（Case：実践例）へとつなげていく考え方のガイド（解決のヒント）を示していきます。

なお、本書 p.22 以降の各 Case には園内研修のテーマを想起しやすいキーワードや視点を紹介しています。「保育士等キャリアアップ研修ガイドライン」（厚生労働省）、「保育士・保育教諭が誇りとやりがいを持って働き続けられる、新たなキャリアアップの道筋について」（全国保育士会）（本書 p.101 参照）、「保育者としての資質向上研修俯瞰図（特に Hop 部分）」（全日本私立幼稚園幼児教育研究機構）、「幼稚園教諭・保育教諭のための研修ガイド（特にⅠの基礎ステージおよび多様なニーズに応じた研修、Ⅱの新規採用教員研修の園内研修・園外研修の研修内容）」（保育教諭養成課程研究会）などは、園内研修のテーマを考え、決めていく上で大いに活用できるものです。

Q1 子どもの理解を深めるための視点はどう共有すれば？

園長 新規開設園です。採用した職員の経験年数や職歴も多様な中で「子どもの理解」の視点もばらばらです。一体どこから手をつければよいのやら……。

主任 幼稚園から幼保連携型認定こども園に移行した園です。旧職員となる幼稚園教諭と３歳未満児の元保育士との価値観にズレがありその調整に悩んでいます。

保育者 保育理念は明示されているものの、なんだかみんなバラバラの保育じゃない？

職員 思うことはあっても伝える場や時間がないからいわないでいるけど……。

解決のHINT 「子どもの理解を深める」ことは、保育を考えていく上での中心的な課題の一つです。まさに、保育のプロフェッショナルとして今そこにいる子どもの姿を徹底的に見つめていくことからはじめなければなりません。その子どもの思いに寄り添いながら、その育ちや学びを保障していかなくてなりません。だからこそ、職員同士、子どものことについて語り合い、問いかけ合い、考え合うことを引き出す研修テーマを考えてみましょう。

➡ Case1（p.22~27）、Case3（p.34~39）、Case4（p.40~45）、Case5（p.46~51）、Case8（p.64~69）参照

Q2 保育の環境構成はどのように考えたらいいの？

園長 子どもが伸び伸びと自由に遊べる園環境をつくりたい！

主任 理想論だけじゃなく安全第一・衛生管理の徹底も考えないといけないし……。

保育者 乳児や配慮が必要な子どもも安心して生活できる環境を整えたいけど……。

職員 保育者と連携しながら食育の充実のための環境について考えたいけど……。

解決のHINT 指針・要領等において、保育は「環境を通して行うもの」と示されています。その環境は、「子どもにとってどうなのか」ということを念頭に置きながら、子どもの育ちや学びに直接の影響を与える環境のありようについて語り合い、実際に“試す”ことのできる研修テーマを考えてみましょう。

➡ Case2（p.28~33）、Case3（p.34~39）、Case4（p.40~45）、Case8（p.64~69）参照

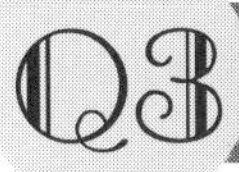

Q3 人材育成といわれるけど、実際の取り組みって何？

園長 職位に応じた体系的な研修の必要性がいわれているがそれどころではない！

主任 教えなければならないことがたくさんありすぎて自分自身が混乱している！

保育者 日々の保育や業務に追われ、自分の保育を振り返る時間も気力もない……。

職員 看護師として保育者の行う衛生管理に疑問をもっているけど、保育者と情報を共有できる場すらない……。

解決のHINT　キャリアアップ研修制度の展開とともに注目されてきていることが「人材育成」の課題です。答えの出ない永遠の課題なのかもしれませんが、保育現場においてもこれまで以上に職位や職種（看護師や栄養士をはじめとする専門職）に応じた人材育成に力を注いでいく必要があります。そのためにも、とりわけ管理職やミドルリーダーは人材育成に対する思い（マインド）と育成を可能とする技術（スキル）を身につけていく必要があります。自園における職員の大まかなキャリア形成への見通しの可視化を試みつつ、人材育成につながる研修テーマを考えてみましょう。

➡ **Case5（p.46~51）、Case6（p.52~57）、Case7（p.58~63）参照**

Q4 指針・要領等をもっとうまく活用したいけど……。

園長 その点はすべて保育者に任せているから……。

主任 むしろ活用するための具体的な方法が知りたい。

保育者 「指針・要領等に基づいた保育」というのが、正直、よくわからない……。

職員 そもそも手にしたことがないのですが……。

解決のHINT　園内研修においても、指針・要領等を「辞書がわり」に活用する取り組みが増えています。先述の通り、指針・要領等には日常の保育実践を振り返るための視点や次の保育を組み立てていく上で必要な視点が網羅されています。何より、保育者をはじめとする全職員の「共通語」となる存在です。指針・要領等に書かれている言葉をキーワードとして保育を振り返り、次の保育を考えていくことのできる研修テーマを考えてみましょう。

➡ **Case1（p.22~27）、Case2（p.28~33）、Case3（p.34~39）、Case4（p.40~45）、Case8（p.64~69）、Case9（p.70~75）、Case10（p.76~81）参照**

Q5 保護者との連携、何から取り組めばいいの……？

園長 子育て支援が充実すればするほど親子関係が希薄になったともいわれるが……。

主任 人材不足の中で、子どもの保育だけでも精一杯の日々なのに……。

保育者 保護者対応に悩んでいます……。

職員 栄養士としてもその必要性は感じているけど何ができるの？

解決のHINT 日常の保育を展開していくだけでも相当な時間と労力が必要な中で、自園の保護者や地域の子育て家庭に対する子育て支援をどのように位置づけていけばよいのでしょうか。人材不足の問題もあいまって、園と保護者との相互理解に基づく連携がこれまで以上に必要となってきています。園として、保育者として保護者に伝えたいこと・共有してほしいことは何か、また保護者が知りたい情報とは何か、連携を実質化させていく上で鍵となる「情報」「場」「技術」について学び合うことのできる研修テーマを考えていきましょう。

Case1（p.22~27）、Case3（p.34~39）、Case4（p.40~45）、Case9（p.70~75）、Case10（p.76~81）参照

Q6 働き方改革・業務改善って、何から取り組めばいいの？

園長 保育者のワークライフバランスも考えないといけないのに……。

主任 行事の見直しを図りたいけどなかなか実行に結びつきにくい……。

保育者 業務改善にICTを活用するとはいっても……。

職員 もはや、自分自身の仕事の範囲もよくわからないような状況です……。

解決のHINT 保育現場の管理職にとっては喫緊の課題の一つでもあります。とはいえ、管理職だけで改善できる問題でもありません。職員一人一人が意識的にこの課題に取り組まなければ、実効性のある改善には結びつかないでしょう。これにはキャリアアップ研修の「マネジメント」分野で学ぶ内容（組織目標の設定や業務改善にかかる研修内容）が大いに活かされる可能性があります。キャリアアップ研修に参加しているミドルリーダーを中心に、園内外における研修の往還性を軸に外部で学んだ知見を園内の研修においても活用していくための研修テーマについて考えてみましょう。

Case11（p.82~87）、Case12（p.88~93）参照

introduction

園内研修の進め方

ここでは、さまざまな研修テーマをもとに実際に園内研修を進めていく上での一般的な流れについて押さえておきましょう。

下図に示すように、一般的には①園内研修の日時を決め、②テーマの選定を図ります（もちろん先にテーマがあって、その園内研修のために日時を決めるという順序でも問題ありません)。次に、③園内研修開催のための場所の確保や時間の設定、文具などの準備、参加者への周知を行います。④園内研修の当日は、日常の保育記録をもとに対話を軸とした学び合いを中心に、日常の保育実践などについての話題の提供や子どもの理解に関する視点の共有を図るなど、目的に応じた学び合いを展開します。次に、⑤当日の研修内容や結果、その成果はなるべく早く、ICT などの技術も活用しながら手がるにまとめ、当事者間で共有します。そして何より重要なのが、⑥次回の研修へとつなげる工夫をすることです。やりっぱなしや細切れの園内研修では職員のモチベーションも下がってしまいます。園内研修での学びの蓄積が、日常の保育の質を高めていっているという職員の実感につながる、そのような園内研修へのイメージをもてるような配慮が何より重要です。

とはいえ、各園、事情はさまざまでしょう。園内研修の進め方には、特にこれといった決まりやルールがあるわけではありません。まずは、“気がるに”取り組みながら、各園の工夫を重ねていけばよいことなのですが、やはり園内研修をスタートアップさせる上で大切なポイントもあります。このことについて、次頁以降、具体的に学んでいきます。

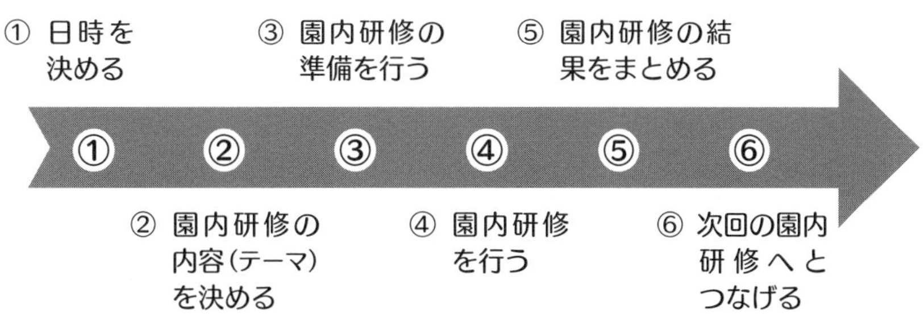

園内研修の基本的な進め方

（参考）那須信樹他『手がるに園内研修メイキング―みんなでつくる保育の力（改訂版）』わかば社、2017

1 研修日時を決める上でのポイント（計画性と柔軟性）

園によっては、日々の保育業務に追われてしまい、園内研修どころか園外研修への参加もままならない状況もあるようです。そのような中で全職員が揃って園内研修に取り組むことを優先させてしまうと、かえって職員のモチベーションを低下させてしまいかねません。日時や園内研修の担当を決めて、というフォーマルな形での園内研修の開催がむずかしいのであれば、柔軟性をもって、まずは“３つのＤ”、つまり「できる人が、できるときに、できることから」はじめる、インフォーマルな形での園内研修に取り組んでみればよいことです。テーマも明確に決めて取りかかるよりも、目の前にいる「子どものこと」や「保育環境のこと」でお互いに声をかけ合う、１～２分といったわずかな時間でも語り合うことが大切です。このことを積み重ね、職員間の対話の量を増やし、問いかけ合いながら考え合う、その時間の確保が大切なのです。そこに職員間の信頼関係が育まれ、子どもの理解が深まったり、保育環境の再構成も進みます。できない理由を考えて何もしないよりは、まずはできることから“気がるに”に取り組んでみればよいということです。

とはいえ、その園組織としての保育の力を高めていくためには、やはり計画性と継続性、そして研修テーマの重点化が必要です。加えて園内研修は、すべての保育業務の中でも組織として取り組むべき優先順位の高い業務であるという認識が必要です。職員一人一人はもとより、今後、管理職に求められる園運営上の重要な視点だといえます。

年間を通じて定期的な開催が実現できるように、できれば年度の初めまでに、年間計画の中にその日時を盛り込んでおくことが肝要です。毎月行うのか、隔月に行うのか、期ごとに行うのか、1回の研修時間はどれくらいか、また、その園内研修は管理職をはじめとする全職員で行うのか、管理職を除く職員のみで行うのか、学年単位で行うのか、非常勤職員のみで行うのかなど対象者にも配慮した日時の設定が求められます。

以上のように、各園の実情や職員の意向に配慮しながら日時を設定します。そして大事なことは、設定した日時はよほどのことがない限り、何より優先して実施するということです。この点を曖昧にしてしまうと、単にこなすだけの形骸化した園内研修に陥ってしまいかねません。また、保護者への理解を求めていく姿勢も必要です。園内研修日時の確保を前提に、保護者にも園内研修の重要性について理解を求めていきましょう。

2 研修テーマと内容を決める上でのポイント

日時とあわせて、おおまかな研修テーマと内容を決めておきます。とりわけ新規開設園の場合、必要に応じて、その都度決めていかざるを得ない状況もあるようですが、園内研修の要となる部分ですから、ある程度の見通しをもち、管理職をはじめ常勤・非常勤含め職員全員で意見を出し合いながら一緒に研修テーマや内容を決めていくことが肝要です。何より、このこと自体がすでに園内研修となっているのです。ところが、管理職や園内研修を主に担当しているミドルリーダーからの相談として多いのが、この研修テーマの設定にかかわることであり、本書が生まれるきっかけにもなりました。「みんなが活きる研修テーマ」とは、いい方を変えれば「職員みんながそれぞれの特徴を活かし、安心感をもって活き活きと働き、活躍することができるようになる研修テーマ」ということです。

次頁以降、“気がるに”園内研修をスタートさせていく上で役立ちそうなたくさんのヒントを紹介しています。園内研修のテーマは身近なところにゴロゴロ存在しています。たとえば、みなさんの園には必ず園の保育理念・保育方針などがあるはずです。自園の保育理念のもと、目の前にいる子どもたちの姿を踏まえながら、立ち話でも構いませんから、まずは“気がるに”語り合うところからはじめてみましょう。そして一日の保育のおわりに、そこにいるメンバーで５分程度でも時間を確保し、子どものことや保育のことを振り返る。そこに生まれる「対話」が明日の保育を考えていく上での糧となるはずです。

少しでも時間的な余裕が生まれるようになれば、指針・要領等に示されている５領域のねらいや内容、乳児の育ちや学びを見つめるための３つの視点が自園においてどのように具現化できているのか、このことを考えるためのテーマを指針・要領等に示されている内容やキーワードを手がかりに設定することも可能となります。また、各保育団体などが示す保育職としてのキャリア形成と連動した体系的な研修内容を網羅した資料[※1)]などをもとに、さらには「自己評価」[※2)]を中心とした園内研修テーマの設定なども考えられます。繰り返しになりますが、とにかく、まずは“気がるに”園内研修への取り組みをはじめてみて、その変化に自覚的になってみましょう、ということです。

※１）代表的なものとして、全国保育士会「保育士・保育教諭が誇りとやりがいを持って働き続けられる、新たなキャリアアップの道筋について」(2017)・全日本私立幼稚園幼児教育研究機構「保育者としての資質向上研修俯瞰図」(2018)・保育教諭養成課程研究会「幼稚園教諭・保育教諭のための研修ガイドⅤ」(2019) などがあります。

※２）厚生労働省による「保育所における自己評価ガイドライン」(2020) のハンドブック「保育をもっと楽しく」も大いに活用しましょう。全国の保育所における自己評価にかかる取り組みのエッセンスを紹介したもので、ウェブ（web）サイトから入手が可能です。

3 研修準備を行う上でのポイント

園内研修の日時やテーマ・内容が決まったら、当日の研修テーマや内容に基づいて必要な研修環境を整えていきます。本書では、事前の準備を必要としない園内研修も紹介していますが、やはり園内研修という場をより意味のあるものとしていくためには、ある程度の事前準備（仕込み）が必要です。役割分担をしながら、研修に必要な場所の確保や使用する文具類、そのほかBGMや茶菓などの準備をします。これがルーティーン化されてくれば、大きな負担感もなく園内研修環境が整えられるようになります。

主たる準備物としては、何より職員間の対話を促すための文具類への配慮が必要です。最近では、貼ってはがせる「ふせん」を活用する園が増えており、サイズや色、ユニークな形状のものなど、数多くの種類が市販されています。自分の意見を表明しやすくする意味でも、特に会話や対話を好まない（苦手意識が強い）職員に対して配慮すべき点でもあります。詳細は本書p.18～19「研修ツールの活用」を参照してください。

園内での研修とはいえ、いつもとは少し違った雰囲気を演出することも大切なポイントです。茶菓の準備をはじめ、リラックスムードを演出するBGMなどの音響効果を活用してもよいでしょう。また、園内研修の記録にはデジタルカメラや必要に応じてビデオカメラ、タブレット型端末などを活用します。先述の通り、日常の保育をはじめ園内研修の内容は職員個人や園の内に閉じたものではなく、むしろ保護者や地域にも開かれたものになっていく必要があります。研修テーマやその内容次第（個人が特定されるような内容は不可）ですが、発信・共有していくための素材を残していくためにもこうしたデジタル機器の準備や遠隔コミュニケーションツールなど、さらなるICT技術の“気がる”な活用が期待されているところです。

4 園内研修を行う

子どもや保育のことについてのちょっとした立ち話や相談などは、“気がるに”行えるインフォーマルな園内研修としても位置づけることができます。

一方、特定の時間、特定のメンバーが、特定のテーマについて学び合う、いわゆるフォーマルな園内研修を行う際の当日の展開ですが、“気がるに”とはいえ、研修を展開していく上での要となるコーディネーターやファシリテーター（参加者の対話を促し、研修自体を活性化させる役）をあらかじめ決めておいたほうがよいでしょう。定期的な開催の場合、コーディネーターやファシリテーターは毎回異なる人が担うことも可能ですが、年間を通して特定の人に決めておいたほうが参加者の混乱は少ないようです。保育士等キャリアアップ研修の研修分野「マネジメント」の人材育成にかかわる研修部分で触れられることが多いようですが、今後は、こうした園内研修をコーディネートしたりファシリテートできるミドルリーダーとしての人材育成が急務だといえます。一部地域や保育の団体において独自にその人材育成プログラムを開発している例も見受けられます。本書を手にされているみなさん、そして関心のある人はぜひこうした情報にもアクセスしてみてください。

実際の園内研修の展開にあたっては、参加者全員が“気がるに”“安心して”参加できることが前提となります。そのため、いくつかのルールをメンバー間で共有しておくとよいでしょう。この各園の状況に応じたルールづくりを考えることもまた、園内研修のテーマになり得ます。ここではその一例として園内研修での「６つのルール」を紹介します。

1．挨拶を交わす

「これから園内研修をはじめますよ」という合図として、場の空気や参加者の気持ちを切り替える意味でも互いに挨拶を交わすことからはじめます。

2．人の話は最後まで聞く

メンバーが発言をしている間は、その人の目を見ながら、笑顔で、真剣な表情でうなずきながら、また必要に応じてメモをとりながら、を心がけます。メモをとることに気をとられすぎると、発言している側からすれば「ちゃんと聞いてくれているのかな？」という心配にもつながりますので、メモは必要最小限に留めたほうがよいでしょう。

3．自分の思いや考えを伝える

管理職も含む園内研修の場合、特に新任者などは発言することを躊躇してしまう場合が多いようです。互いに高め合うという立場であるということを前提に、職位や経験年数にとらわれすぎず、ほんの少しだけ勇気をもって自分の思いや考えを語る姿勢が大切となります。もちろん、一人一人の参加者の思いや考えを出しやすいテーマの選定や意見を出しやすくする対話ツール（本書 p.18 ～ 19「研修ツールの活用」参照）の活用がポイントとなります。

4．「問いかけ合う・考え合う」を心がける

発言の際の大切なポイントは、互いに「問いかけ合う・考え合う」ことを心がけることです。「対話」という営みは、互いの考えや価値観を明確にしていくプロセスにほかならないわけですが、問いかけるという行為は相手の発言内容に関心をもつことによって生み出されるものですから、問う側も問われる側も互いに関心をもち続けながら「考え合う」行為へとつながっていきます。ここに園内研修を開くとても大きな意義があります。

5．席を立つときは一言断ってから

園内研修の時間にメンバーが勝手に離席することはないでしょうが、保護者や外部からの緊急の連絡や自身の急な体調不良などによる離席もあり得ます。そのような際、黙って離席してしまうと、その場にいる参加者に不安や心配をかけることにもなりかねません。可能な範囲で、メンバーに離席することを断ってから席を立つことを心がけましょう。

6．「おわりの時間」を決めて取り組む

園内研修の成果を上げるためにも、時間を意識するということが大切です。限られた時間の中で取り組むことで発言量が増えたり、取りまとめの作業などが伴う場合の生産性が高まります。あらかじめ「おわりの時間」を決めて取り組むことは、職員の集中力を切らさず、建設的な対話を生み出す配慮としても重要なポイントです。

❺ 研修内容や結果（成果）をまとめる上でのポイント

対話を中心に園内研修を展開している園もありますが、各自の研修ノートに当日の研修内容や結果、その成果について記録していく取り組みが一般的でしょう。ところが多くの場合、書くことばかりに気をとられ、肝心の対話が少なくなってしまう場合があるようです。園内研修の最大のねらいは、職員間の対話を促し、情報の共有や職員間において子どもの理解や保育に対する価値観の交流を行う点にあります。ここでは、書くことよりも対話することを念頭においた記録のあり方を考えてみましょう。

全員がメモを取らずに対話に集中するためには、ノートではなく板書形式による記録の担当者をおくことです（［写真①②］参照）。研修記録の作成は、新任者も含め交代で担当する園もありますが、新任者にはむしろ対話に加わってもらうほうが人材育成にもつながります。この場合、ある程度の保育経験をもつ園全体の保育実践を俯瞰できる保育者が担当するのが望ましいでしょう。ここでもミドルリーダーの活躍が期待されています。

［写真①］記録担当者（丸印）を決めて取り組む

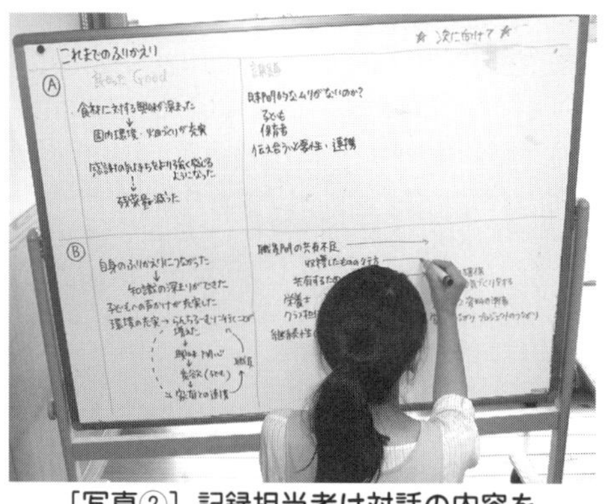

［写真②］記録担当者は対話の内容を聞きながら取りまとめていく

園内研修の最後には、一連の対話のプロセスが記録されたものを踏まえて記録担当者が参加者全員に内容を報告し、認識の違いがないかどうかの確認や、今回の園内研修で学び合った要点のみを共有（［写真③］参照）、板書などで記録したものをデジタルカメラで撮影し園内研修をおえます。撮影したデータは職員数分印刷し、研修記録として配布、自らの園内研修の

［写真③］最後に取りまとめられた内容をもとに振り返る

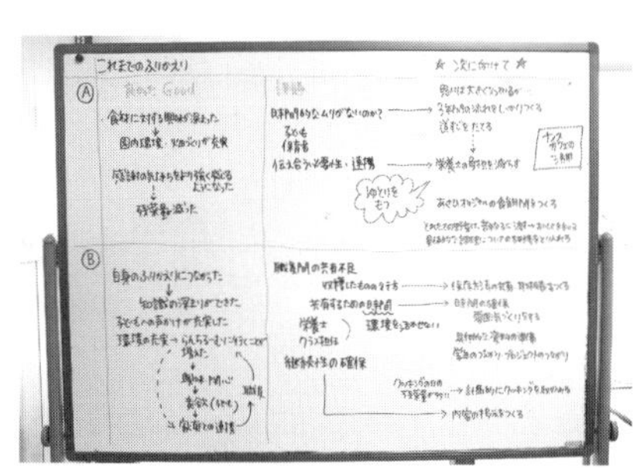

［写真④］板書された内容をカメラにて撮影・印刷、研修記録として全員に配布

ファイルに綴じ込むなどポートフォリオを作成し、自身の学びと育ちの軌跡を自覚的に振り返ることができるようにします。また一部は、園内研修専用のファイルなどに綴じ込んで園としての自己評価や関係者評価などにも活用していきます（[写真④]）。さらに、開示が可能な研修内容であれば、保護者や地域の子育て家庭にも共有できるような情報発信の媒体としての活用も可能です。記録にかかる業務負担を減らし、さまざまに活用することで“気がるに”取り組める園内研修を実現させます。

6 次回の園内研修へつなげる

指針の第5章「職員の資質向上」では、職員にとっての研修の必要性等を踏まえ、施設長の責務として「体系的・計画的な研修機会を確保する」ことが謳われています。園内研修の継続性と研修内容の深化を図るためには、まさに施設長等管理職の意識が重要です。

これまで述べてきたように、“気がるに”園内研修で学び合うことにはとても大きな意義があります。とはいえ、新規開設園などにおいては、日々、次から次に対応を迫られる案件も多く存在し、継続性や研修内容の深化といった観点からは困難さを抱えざるを得ない場合も多いようです。こうした場合、管理職や園内研修担当者が焦ったり、慌てても意味がありません。園内研修の深化を図るためには、園という組織の成熟度・職員間の信頼関係の度合いも関係してきます。困難さは抱えながらも、まずは「3つのD」を意識しながら、“気がるに”、でも“しぶとく”園内研修を展開していってみましょう。そこで語られたこと、学んだことを次の日からの保育実践の中で活かし、そこで生まれてきた変化についてさらに問いかけ合い・学び合っていけばよいのです。このことの積み重ねが、次の園内研修のテーマや内容につながりを生み出すきっかけにもなるはずです。

あわせてこのとき、園内研修を企画する側、また参加する側にとっても、「3つのJ（じっくり、じわ～っと、でも自覚をもって）」が重要な心構えとなります。あれもこれもと思いつきで、あるいは総花的に取り組むのではなく、本書 p.22 以降に網羅されている事例的なテーマを参考に、じっくりとそのテーマを掘り下げて考え合うことが大切です。そして、その場での学びを次につなげていくための「見通し」（次回までにどのような視点から保育実践にあたるのか、また何を明らかにしていくのか）を参加者同士で共有した上で、その回を閉じることが次回開催される園内研修の内容をより豊かなものにしていくはずです。

もちろん、各回の研修テーマや内容と研修方法（形態）が、マッチング（適合）していたかどうかの簡単な事後検討もできるとよいでしょう。そのときのテーマや内容に合わせた最良の方法を提供できるのも、園内研修のコーディネーターやファシリテーターが果たす重要な役割の一つとなります。園内研修に対する思い（マインド）だけではなく、実際に研修を展開できる方法や技術（スキル）を少しずつでも身につけていきましょう。

研修ツールの活用

研修テーマが決まったら、次は、研修のための環境を整えましょう。“みんなが活きる研修”にしていくためには、「対話を活発にするためのツール」「テーマをより深めるためのツール」など、そのときのテーマに合うツールを選択することがポイントとなります。用いるツールによってテーブルセッティングや準備物も変わっていきます。ここでは、いくつかの研修ツールとその活用の方法などについて紹介します。

ふせん

ふせんには、さまざまな色と形とサイズがあります。研修内容によって、上手に使い分けていきましょう。ブレーンストーミング※により意見やアイデアなどをたくさん出し合う場合、75㎜× 75㎜くらいのものが適しています。保育場面の写真を活用して研修を行う場合、吹き出しタイプのふせんを用いると楽しく進めることができます。ふせんには、文字だけではなくイラストや簡単な図を書くなど自由な発想で活用しましょう。

※集団思考や集団発想法、課題抽出のための会議方式の一つ。自由なアイデアや発想を大切にするため「批判しない」「質より量を重視する」「奇抜なアイデアも大事にする」「アイデアを結合し発展させる」という原則がある。

シールラベル

テーマを深め、出されたアイデアや意見をラベルワークでまとめる場合は、シールラベルを用いるとよいでしょう。ふせんは、その場でどんどん意見を出し合い整理するには最適なツールですが、保管したり掲示したりする際は、のりづけし直すなどの手間がかかります。きちんと記録として残し、その後も活用したい場合は、断然シールラベルが便利です。

COLUMN

ふせんやラベルを使用する際のポイントとメリット

ふせんやシールラベルに文章を書く場合は、「1枚に1項目（1枚で意見は1つ）」ということと、「誰が読んでも意味が一義的に定まっているように記入する」という2つのルールを心がけましょう。書いた日付と書いた人の名前も必ず書きましょう。そうすることで、研修後に誰が読んでも内容がわかるものとなります。また、研修に参加できない人にも、このルールに則ってふせんやシールラベルを書いてもらえば、自分の意見を研修に反映させることができます。ふせんやラベルを書くことで、要点を整理し簡潔に表現できる技術を身につけることもできます。気づいたこと、考えたことを、すぐにラベルに書く習慣を身につければ、日ごろの保育にも役立ちます。研修の際も、ふせんをノートがわりに使いそれを「ラベルノート」に貼っておきましょう（ラベルノートの詳細は、本書 p.95 参照）。

模造紙と色ペン

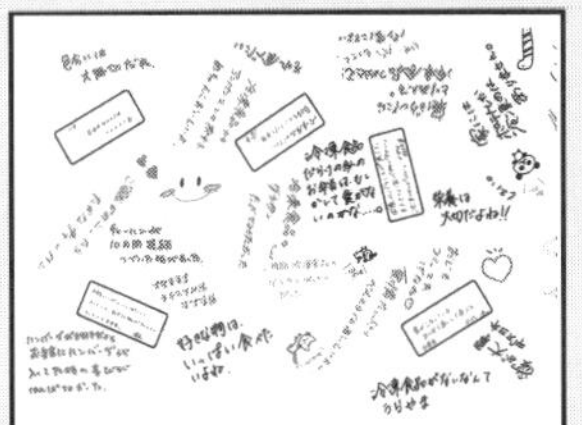

5人1グループ程度で、アイデア出しや意見交換などを行う場合は、テーブルに模造紙を広げ、ふせんを用いると話し合いに集中しやすく会話も弾むでしょう。各自好きな色ペンをもち、直接、模造紙にアイデアや意見を書き込むのもよいでしょう。模造紙を使う場合、できあがったポスターを保管することを考え、あらかじめ折り目をつけておくとよいでしょう。写真などを貼る場合、折り目を避け写真を貼ることで、きれいに保管することができます。

ホワイトボード

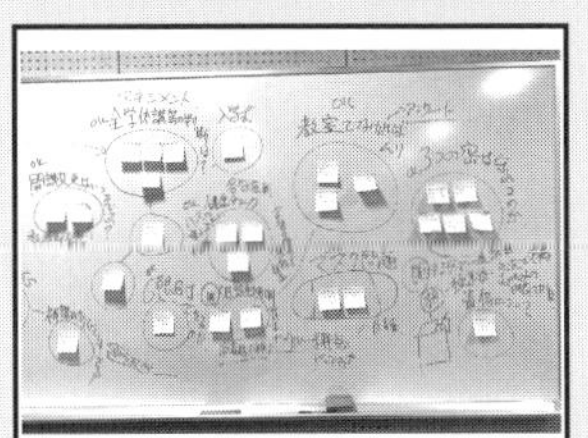

その場に居合わす全員が、研修テーマや今何について話しているのか、みんなはどのような意見や考えをもっているのかなどを可視化し、共有化しながら進めるためにもホワイトボードを使ってみましょう（本書 p.16 参照）。全員の視線が一点に集中することで一緒に考えているという一体感が生まれ対話が活発になります。ホワイトボードを使用する場合、どんどんボードに書き込まれ消されていくので、タイミングを見てデジタルカメラやタブレット型端末で写真記録するとよいでしょう。

タブレット型端末

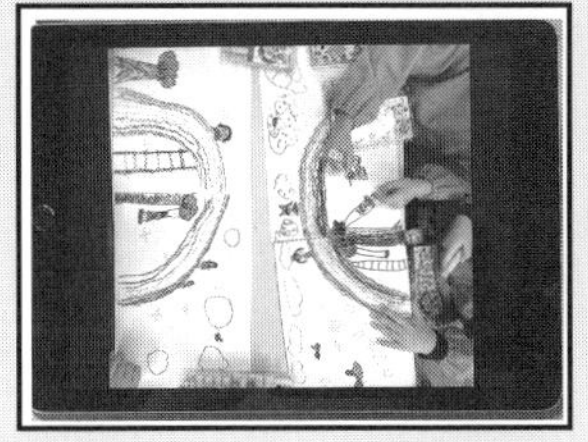

タブレット型端末の研修ツールとしての最大の利点は、スマートフォンと同じように写真や動画が扱えるところです。また、保育に活用できるアプリケーションも豊富にあります。保育場面の写真を使ったフォト・トーキングやフォト・ラーニング※を行う場合、タブレット型端末を使えば、気になる箇所を拡大して見ることで気づきもさらに増えるでしょう。撮影した動画を手がるに見ることができるため、テレビモニターやプロジェクターなどの環境を気にすることなく室内でも野外（遠隔地同士）でも研修を行うことができます。

※写真を活用した「対話」を促す研修方法の一つ。

ラベルノート

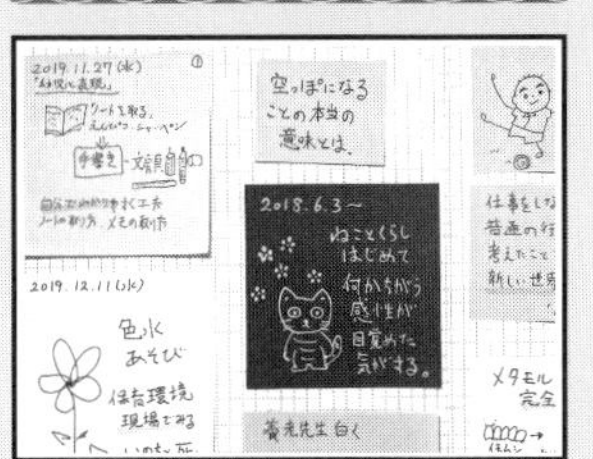

園内外の研修で学んだことや考えたこと、日々の保育などでの気づきや保育に対する考え・アイデアなどをふせんに書き、それを日ごろからノートに貼って整理しておけば、研修や会議のときに役立ちます。次回の研修テーマが決まっていれば、あらかじめふせんに意見を書いておくこともできますし、テーマを意識して保育を行えば気づきも増えていきます。短い研修時間でも、スムーズに意見を出しやすくするためにもラベルノートをつくり活用してみてください（本書 p.95 参照）。

研修テーマを考えよう

ここまで、“気がるに”園内研修に取り組んでいく上での基本的なポイントについて紹介してきました。ここからは、実際に園内研修を展開していく上で要となる「研修テーマ」をどのように導き出し、どのように園内研修につなげていくのかについて、具体的な12のCaseを参考に考えていきます。園内研修が保育の質の向上に寄与する意味のある取り組みとして、また、職員全員が価値ある存在として園内で活き活きと活躍できるきっかけを生み出す場にしていくためにも、各園の実態に即した研修テーマの設定が期待されます。

本書p.22以降の各Caseでは、保育に関する12のテーマから、以下に示す5つのStepを踏まえ、園全体で、あるいは個人で研修テーマを導き出し、実際の園内研修の展開につなげていくことが可能となる仕組みについて紹介していきます。なお、本書で取り上げているテーマはあくまでも一例ですので、自園で考えるほかのテーマでも同様に取り組んでみるとよいでしょう（本書p.104～105、巻末資料①「園内研修テーマ検討シート」参照）。

Step 1 「キーワード」を導き出そう

主には、自園の特徴や課題（たとえば、本書p.22～27のCase 1の場合「子どもの理解」の深め方、本書p.70～75のCase 9の場合「保護者との連携」のむずかしさ、などの各園固有のテーマ）から思いつく「キーワード」を、個人で、あるいは対話をもとに園全体でできる限り多く出していきます。「example」で示された例を参考に「Let's think」では、各Caseで取り上げているテーマから考えられる自園の「キーワード」を個人、あるいは対話をもとに2つ程度、書き込んでみましょう。

Step 2 「現状と目指したい保育の方向性」を確認しよう

次に、Step 1で出された「キーワード」を踏まえつつ、自園の「現状」について振り返ります。また、そこで見えてきた現状を踏まえつつ、今後の「目指したい保育の方向性」について、個人で、あるいは対話をもとに園全体で言語化（可視化）し共有していきます。「example」で示された例を参考に「Let's think」では自園の現状と目指したい保育の方向性について個人、あるいは対話をもとに書き込んでみましょう。

Step 3 「園内研修テーマ」を考えよう

次に、Step 2で明らかとなった自園の現状と目指したい保育の方向性を踏まえつつ、具体的な「研修テーマ」について、個人で、あるいは対話をもとに園全体で言語化（可視化）していきます。さらにその研修を行うための具体的な研修内容についても考えます。その際、研修テーマの参考となる資料（書籍や文献、ホームページに掲載されている情報など）もあわせて調べておくとよいでしょう。「example」で示された例を参考に「Let's think」では自園の場合について、個人、あるいは対話をもとに、研修テーマ、研修内容、研修の参考となる資料をまとめ、書き込んでみましょう。

Step 4 園内研修に取り組もう

次に、Step 3で考えた研修テーマのもと実際に園内研修に取り組みます。本書では、実際に行われている園内研修の事例を紹介しています。まずは、この事例を参考にしながら、同じように園内研修に取り組んでみるのもよいでしょう。

Step 5 園内研修での学びを活かそう

さらに、Step 4に示された事例を参考に取り組んでみた園内研修での学びを活かしながら、次の研修テーマを考えていくきっかけを得ていきます。ここまでくれば、またStep 1に戻り、次の（応用的な）研修テーマにつながるキーワードを導き出すことからはじめます。

このように、5つのStepを循環させていくことが、本書サブタイトルにある「みんなが活きる研修テーマ」を恒常的に生み出し続け、園内研修を深めていくことにつながります。

イメージとしては右図の通りです。

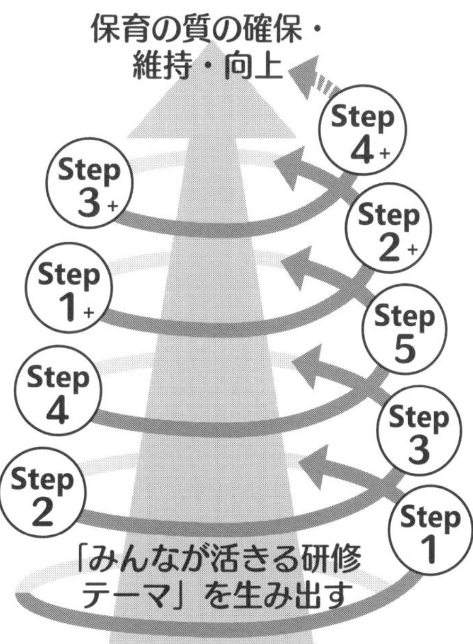

Case 1

「子どもの理解」の視点から

ここでは「子どもの理解」というテーマを中心に据えて、日々の保育実践を振り返り、「子どもの理解」に関連する自園における現状や課題についての研修テーマを考えていきます。「子どもの理解」は、保育実践の中核をなすもので、何より子どもの理解を手がかりに保育の計画がなされ、展開され、振り返りと計画の再編が行われ、再び実践へと向かう中心にあるものです。保育者がどのように子どもを理解しているのかによって、保育そのものが大きく異なります。

Step 1 「キーワード」を導き出そう

example 「子どもの理解」というテーマから思いつくキーワードをあげてみよう！

1. 保育記録
2. 保育者一人一人の理解
3. 子どもの育ち

4. 保育者の援助
5. 保育者の表現・言葉かけ

Let's think 自分自身の園の場合のキーワードも考えてみよう！

6.
7.

Step 2 「現状と目指したい保育の方向性」を確認しよう

example 「キーワード」から自園の現状（園全体・個人）と目指したい保育の方向性についてまとめてみよう！

❶ 保育記録

日々の保育記録にはさまざまなものがあり、できるだけ適切に記録をしているつもりだが、ただ記録をしているという感覚も否めない。子どもの理解のため、どのような視点で記録をとったらよいのか、方法を含めた保育記録について考えたい。

❷ 保育者一人一人の理解

保育者によって子どもの姿が違って見えることがある。子どものさまざまな言動に対して、どのように理解しようとしているのか、それぞれの考えや気持ちを共有したい。主観的・客観的な視点を合わせてよりよい子ども理解へとつなげたい。

❸ 子どもの育ち

子どもの育ちを理解しているつもりで保育を行っているが、発達の道筋と一人一人の育ちの姿をとらえることができているだろうか。子どもの育ちについての認識を保育者間で確認し、よりよい保育者の援助へつながることを目指して考えてみたい。

❹ 保育者の援助

目の前の子どもの育ちを考えて保育展開を構成しているつもりだが、適切な援助になっているかどうか不安がぬぐえない。集団の中での子どもの育ちへの理解をどのように深めていくことができるのか、保育者の援助のあり方について考えたい。

❺ 保育者の表現・言葉かけ

日常から「子どもの気持ちに寄り添った言葉かけ」を意識しているが、適切な言葉かけになっているだろうか。保育者がどのような言葉かけや表現をしているのか、ほかの保育者にはどのように受け止められているのかについて話し合い、適切な言葉かけにしたい。

Let's think 自分自身の園の場合も考えてみよう！

❻

キーワード
現状と目指したい保育の方向性

❼

キーワード
現状と目指したい保育の方向性

Step 3 「園内研修テーマ」を考えよう

example 「園の現状」から園内研修テーマ、研修内容を考え、その研修の参考となる資料をまとめてみよう！

	研修テーマの例	研修内容の例	研修の参考となる資料
①	みんなの保育記録を共有し記録の方法について学ぶ	保育者同士で記録したものを披露する。何の記録をとっているのか、どのようにとっているのか情報共有する。	・自園の連絡帳（お便り帳） ・自園の保育日誌 ・自園の指導計画 ・自園の全体的な計画 ・文部科学省『指導と評価に生かす記録』チャイルド本社、2013
②	保育者それぞれの子どもの理解について話し合う	保育の一場面を取り上げ、可視化できる方法を取り入れて、それぞれの子どもの理解について話し合ってみる。	・自園の指導計画 ・文部科学省『幼児理解に基づいた評価』チャイルド本社、2019
③	実際の子どもの育ちの気づきについて話し合う	発達のおおまかな流れの確認と、目の前の子どもの発達との相違について話し合う。	・自園の指導計画 ・各要録 ・子どもとことば研究会『0歳児から6歳児　子どものことば～心の育ちを見つめる』小学館、2017
④	子ども一人一人への援助について話し合う	保育の一場面を取り上げ、子ども一人一人と集団のかかわりについて、保育者がどのように考えているか意見交換をする。	・文部科学省『幼児理解に基づいた評価』チャイルド本社、2019
⑤	保育者の言葉かけについて考え、保育者間で検討する	保育者の表現、特に言葉かけについて、肯定的な表現など子どもにとって適切な表現方法とはどのようなものか意見を交わす。	・伊庭崇、秋田喜代美編『園づくりのことば―保育をつなぐミドルリーダーの秘訣』丸善出版、2019

Let's think 自分自身の園の場合も考えてみよう！

	研修テーマの例	研修内容の例	研修の参考となる資料
⑥			
⑦			

園内研修に取り組もう

研修テーマ　保育者の言葉かけについて考え、保育者間で検討する

日常の保育の中では、多くの記録がとられています。日々の保育を振り返ってみると、文章記録や写真記録など多くの記録があるでしょう。記録に追われて多忙感を極めている保育者も少なくないかもしれません。現在どのような記録をとっているのかを可視化してみると、記録の中には子どもの育ちに関するものが多く、保育者がどのように子どもを理解しているのかを知ることができる貴重なものとなります。その記録を通して、保育者がどのように子どものことを理解しようとしているのかを考えてみることは、保育者自身の子どもへのかかわりを振り返ることにつながります。

保育者の見方によって、保育者の子どもへのかかわりは異なります。子どもの気持ちに寄り添っていると、子どもにとっても保育者にとっても有意義な保育展開が見えてくると思われます。また、保育者の見方によって、子どもへの言葉かけも変化を見せます。子どもの活動を肯定的に受け止めている場合と、そうではない場合には、子どもとの信頼関係構築にも影響を与えるでしょう。

ここでは、保育の一場面から、保育者が子どもの言動をどのように考えているのか、子どもの気持ちをどのように理解しようとしているのかを、多様な見方について保育者同士で意見を交わしながら子どもの理解に努める研修を紹介します。

用意するもの	保育の様子を撮った写真、模造紙、筆記用具（ペン類）、ふせん（2色）
研修時間	30分程度
参加人数の目安	4～6人

手順①　保育の一場面を見て（適した写真がない場合は、保育の一場面の出来事を取り上げて）、どのような場面だったか話し合う　5分

保育所や認定こども園では比較的職員数に余裕のあるときに、幼稚園では研修の時間が取れそうな午後の時間を活用し、参加可能な職員が集まり研修を行います。

日常の保育の中で行っているように、肩に力を入れずに思いつくままに、保育の一場面を話してみましょう。たとえば、行事の一場面であれば、「このとき、〇〇ちゃん

はこの活動を楽しみにしていたね」や「〇〇ちゃんは緊張していたけど一生懸命だったね」など、普段から子どもを見つめている保育者だからこそ、気づくこともあると思われます。あまり身構えずに、その場面を思い出しながら言葉にしてみましょう。

手順② 子どもの様子をふせんに書いて、模造紙に貼ってみる 10分

保育者同士が“気がる”に子どものことについて話すことを通して、そのときの子どもの姿を思い浮かべたら、話題に出た子どもの姿を、１色目のふせんに書いていきましょう。ふせんに書くときはできるだけ簡潔な言葉を選ぶようにして、ふせんの言葉がほかの参加者からも見てわかるように、太いペンなどを使用して大きく書いていくとよいでしょう（本書 p.18、COLUMN 参照）。

次に書いたふせんを、模造紙に貼りつけていきます。参加者のふせんに似たようなことが書かれている場合は、模造紙上で近くになるように貼りつけてグルーピングしましょう。

手順③ 保育者の見方（受け止め方）をふせんに書いて、模造紙に貼ってみる 10分

模造紙上に貼りつけられたふせんを見ながら、各保育者はどのように見るのかを、別の色のふせんに書いて、貼りつけている子どもの姿のふせんの近くに貼っていきます。このとき、参加者によって見方が異なることもあるかもしれませんが、気にせずに書いて貼っていきましょう。

手順④ 「言葉かけ」を考え、模造紙に直接書き込む 5分

次に、子どもの姿を記入したふせんの横に貼られた保育者の見方のふせんを見て、気づいたことを言葉として声に出しながら、参加者と話し合い、どのような言葉かけをしたらよいか貼りつけたふせんの横に書き込んでいきます。話し合いのときに気をつけることは、ほかの参加者の発言を否定しないこと、また、質問するときは発言した参加者の意図を確認してから問いかけるようにしましょう。

言葉かけには、参加者それぞれの意味や意図があると思われるので、そのことも模造紙に書き込んでいきましょう。なぜそのような言葉かけがよいと思うのか、さまざまな見方を知ることができるように問いかけ合いながら意見交流をしましょう。

COLUMN

経験によって感じ方が異なることを楽しむ

誰もが他者の意見を聞いて「学びになった」と思った経験があるでしょう。同じように、実習生を受け入れる側になったときにも、実習生の一所懸命な姿や子どもとのかかわりの中で驚いたり喜んだりする様子を目の当たりにすることで、「新鮮な気持ちを思い出した」とか「勉強になった」などの感想をもつようです。誰もが他者から学び、他者に学びを与えている存在です。新規に採用された保育者は、経験年数の長い保育者の言動により学びを感じることもしばしばです。

保育者は、子どもに伝えたり援助したりする中で、「子どもから学んでいる」という感覚をもった大人であることが多いようです。この感覚は、子どもでなくても保育者同士でも、立場が異なっても活かされるのではないでしょうか。

子どもには子どもの、大人には大人の、新人には新人の、ベテランにはベテランのそれぞれの物事のとらえ方や見方があります。異なるからわかってもらえないと嘆くのではなく、異なりを楽しむことができるようになると、私たちを取り巻く環境、すなわち子どもを取り巻く環境はもっと豊かなものになるかもしれません。

Step 5 園内研修での学びを活かそう

「子ども」「保育」といったことをテーマに“気がる”に対話できる雰囲気のある園は、子どもだけでなく、保育者も伸び伸びと自己発揮できる園なのかもしれません。まず、“気がる”に身近なテーマについて対話することができる雰囲気をつくり出すためにも、実践している保育について“気がる”に話すことは有効でしょう。保育者同士の関係を良好なものにしていくには雑談も含めて、日常に会話があることは必要です。話をするときに身構え、力が入りすぎてしまうと、保育者同士の雰囲気も堅苦しくなり、子どもにとってもよい人的環境とはいえないでしょう。まずは経験年数に関係なく、“気がる”に「保育」をテーマに話せる環境を整えることが、チームの雰囲気を良好にすることにつながります。

また、子どもの様子をふせんに書いて貼りつけ可視化を行うこと、子どもの見方を思い思いに書いて貼りつけて可視化することで、子どもの見方がさまざまなことに気づくことができるでしょう。保育者の子どもの見方によって子どもへの援助の表現方法や、かける言葉の選択は異なってきます。ふせんに書いた見方が多様であればあるほど、子どものいろいろな側面に気づき、子どもを理解することにつながります。特に、肯定的な見方の意見は、子どもを深く理解することにつながり、温かいまなざしに裏打ちされたものです。研修を通して、ほかの参加者のさまざまな意見に耳を傾けることで、自らの子どもへの理解が広がり、子どもの気持ちに寄り添った温かいかかわりや言葉かけにつながっていくでしょう。

「環境構成」の視点から

ここでは「環境構成」というテーマを中心に据えて、日々の保育実践を思い出し、「環境構成」に関する自園における現状や課題についての研修テーマを考えていきます。

「環境構成」は、指針・要領等に「環境を通して行うことが基本」と示されているように保育の基本となるものです。また、教材等を工夫して物的・空間的環境を構成する必要があります。

ここでは、人的環境の視点ではなく、物的・空間的環境を中心として考えていきます。

Step 1 「キーワード」を導き出そう

example 「環境構成」というテーマから思いつくキーワードをあげてみよう！

テーマ：環境構成

1. 環境構成の工夫
2. 保育室環境
3. 自然・園庭環境

4. 安全や保健衛生
5. 社会資源や地域環境

Let's think 自分自身の園の場合のキーワードも考えてみよう！

6.
7.

Step 2 「現状と目指したい保育の方向性」を確認しよう

example 「キーワード」から自園の現状（園全体・個人）と目指したい保育の方向性についてまとめてみよう！

1 環境構成の工夫

設定保育のときの環境構成はかなり意識しているけれど、一日の園生活の流れから考えたら、もっと保育室環境の工夫が必要だと感じている。そもそも発達に応じてどんな環境構成がよいのか、どのような工夫のしどころがあるのかを考えてみたい。

2 保育室環境

子どもの動線を考えて、保育室環境を全体的に見直したい。季節感を感じられたり、飼育・栽培のための保育室環境を考えてみたい。ままごとや積み木などの普段の遊びの環境も充実させ、保育室内での子どもの育ちや学びをもっと豊かにしたい。

3 自然・園庭環境

園庭が狭いため乳児や幼児で分けたいが、どうすればよいか考えたい。園庭に自然を感じられるものをもっと増やしたい。また、園庭に実のなる木々があるのに活用できておらずもっと活かしたい。そして体を動かして遊べる園庭環境を工夫したい。

4 安全や保健衛生

園庭や保育室内のヒヤリ・ハットやケガ・事故防止のための環境整備を見直したいと思っているが取り組めていない。園環境の見直しとともに、乳児の保育室環境の安全や保健衛生面でどのようなことに気をつければよいか、担任間で共通理解したい。

5 社会資源や地域環境

近隣の公園等に行くお散歩マップ（ルート）はつくっているけれど、もっと地域の環境や社会資源を活用できるようにしたい。そのためには、地域資源（自然、文化、人材、伝承行事等）にどのようなものがあるか調べてみたい。

Let's think 自分自身の園の場合も考えてみよう！

6

キーワード
現状と目指したい保育の方向性

7

キーワード
現状と目指したい保育の方向性

Step 3 「園内研修テーマ」を考えよう

example 「園の現状」から園内研修テーマ、研修内容を考え、その研修の参考となる資料をまとめてみよう！

	研修テーマの例	研修内容の例	研修の参考となる資料
①	環境構成とは何かについて、基本に戻り考える	指針・要領等に記載されている「環境構成」についての考え方を検討する。	・「幼稚園教育要領」 ・「保育所保育指針」 ・「幼保連携型認定こども園教育・保育要領」
②	保育室環境を見直す	「保育室環境として何があるか」を写真に撮って、もっとこうしたらよいのではないかを考える。現在の保育室環境の写真にコメントをつけ意見を出し合う。	・宮里暁美編『思いをつなぐ 保育の環境構成』中央法規出版、2020 ・秋田喜代美『秋田喜代美の写真で語る保育の環境づくり』ひかりのくに、2016
③	園庭マップや保育マップをつくり可視化する	「園庭にある自然や植物リスト・物的環境リストをつくろう」というように、まずは何があるかの把握からはじめる。園庭マップや保育マップをつくり可視化する。	・東間掬子『乳幼児がぐんぐん伸びる幼稚園・保育園の遊び環境25の原則』黎明書房、2017 ・秋田喜代美、石田佳織他『園庭を豊かな育ちの場に：質向上のためのヒントと事例』ひかりのくに、2019
④	よりよい安全や保健衛生のための環境を工夫する	「職員間で安全や保健衛生で気になっていることを出し合おう」「参考になりそうな環境の工夫を調べよう」というように現段階の課題と、課題改善のための工夫を出し合う。	・田中哲郎『保育園における事故防止と安全保育』日本小児医事出版社、2019 ・田中浩二『写真で学ぶ！ 保育現場のリスクマネジメント』中央法規出版、2017
⑤	社会資源や地域環境を活かすためにどうすればよいか考える	「地域の社会資源リストをつくろう」「お散歩マップをベースに地域の自然や社会資源を書き込んで充実させよう」というように、まずは何があるかの把握からはじめる。	・三輪律江、尾木まり編『まち保育のススメ―おさんぽ・多世代交流・地域交流・防災・まちづくり』萌文社、2017 ・秋田喜代美他編『私たちのまちの園になる―地域と共にある園をつくる』フレーベル館、2016

Let's think 自分自身の園の場合も考えてみよう！

	研修テーマの例	研修内容の例	研修の参考となる資料
⑥			
⑦			

園内研修に取り組もう

研修テーマ　保育室環境を見直す

「保育は環境を通して行う」「環境構成が大事」というけれども、“子どもが主体的に自発的に遊んだりしていくには、これでいいのだろうか？”“ままごと遊びなどの日常的な遊びのための環境構成を工夫したい”とか、“保育室の使い方として子どもの動きや生活しやすさなどを考えたい”などの悩みもあると思います。

そこで、「保育室環境として何があるか」をテーマに写真に撮って、もっとこうしたらよいのではないかについて考えたり、それを使って語り合ったりしながら、環境構成の課題や子どもの遊びを豊かにする園内研修を実施してみましょう。

用意するもの	保育環境の写真（1人2枚程度）、ふせん（正方形のハーフサイズ、2色）、模造紙、筆記用具
研修時間	40～60分程度
参加人数の目安	4～6人

手順① 保育環境の写真を用意する（事前準備）　5分

まずは、自分の担当クラスの保育室の中で、子どもがよく遊んでいるコーナーや物的環境の写真を撮ってみましょう。写真は特定の棚に近づいて撮ったり、コーナー全体を撮ったり、保育室全体の様子がわかるように撮ったりしたものを用意します。また、生活面の保育環境の見直しとして、椅子やテーブル、コップやタオルかけなどの写真を用意してもよいでしょう。

用意する写真は、1人に2枚程度からはじめるとよいでしょう。

手順② 写真の説明をする

10分

もち寄った写真について「なぜこの写真を撮ったのか？」「なぜこの写真を選んだのか？」「どのように子どもたちが遊んでいるのか？」などを紹介します。写真１枚につき１分程度で説明します。

話をするときには、写真をテーブルの中央の模造紙の上に置き参加者が写真を見やすいようにするか、その写真を手にもち参加者に見せながら話をするとよいでしょう。

手順③ 意見を出し合う

全員が紹介しおえたら、それらの写真すべてを模造紙の上に並べて、次の２つの観点から考えてみましょう。

- この保育環境で「子どもはどんな言葉を発したり、言葉のやりとりが生まれたりするだろうか？」「遊ぶ中で、子どもたちはどんなことを楽しんだり、心を動かしたりするのだろう？」など、「こんなのもあるかな？」と想像してみよう。
- この保育環境の中で、「子どもたちはどんな経験が積み重なり、何が育っていくだろうか？」「どんなことがわかったり、できるようになっていくのだろう？」などを想像してみよう。

そして、想像し考えたことを１枚のふせんにつき１つずつ書き出していきましょう。このときには、ぱっと思いついたことを書いてみることが大切です。

参加者がふせんに書きおえたら、写真の横にふせんを貼っていきます。

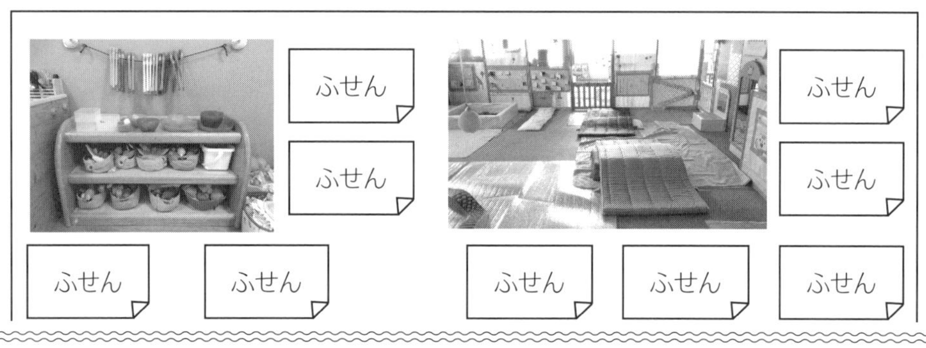

模造紙の上に貼ったふせんを見ながら、対話をしましょう。同じ視点で書いているものや、違った視点で書いているものなどを確認しながら、共通理解を図ったり、多様な考え方を知る機会にしていきましょう。

手順④　保育環境をさらに工夫するための意見を出し合う

それぞれがもち寄った保育環境の写真から、さらに保育環境を工夫するとしたら、どんなことが考えられるか、アイデアを出し合ってみましょう。

手順③までに出し合ったことを踏まえて、「どんな遊びがもっと広がってほしいか」「課題と思われることは何か」という思いを出し合ってみましょう。その写真を紹介した保育者の思いや、参加者が気づいたことなどでも構いません。

（例）「もっと見立てて、いろいろなお料理をつくってほしい」
「トング（パンなど食品を挟んでつかむ道具）などを使うことを通して、パン屋さんごっこが広がってほしい」
「ままごと遊びが最近マンネリ化している」など

さらに、別の色のふせんに、アイデアとして思いついたことや、物的環境として追加したいもの（アイテム）などを書き出して、写真の横に貼っていきます。

（例）「○○に見立てられるように、花はじきを用意する」
「トングやトレー、おもちゃのパンを用意する」
「ままごと遊びのコーナーの場所を変える」など

そのあと、新たに追加されたふせんを見ながら、意見交換していきましょう。

Step 5　園内研修での学びを活かそう

保育環境の写真から、そこで遊ぶ子どもの姿・様子や、保育環境の見直しも含めて読み取ったり、考えたりすることができます。まずは写真について語ってみて、読み取りを深めていくことからはじめるとよいでしょう。そして、そこを出発点として、さらにどうしたらよいかを考えていくことが大切です。

写真があるからこそ、見てわかりやすいし、語りやすくなります。このように次への手立てを考えることが保育の質の向上には欠かせません。

園内研修で、手順④のように保育環境の見直しの中で、「アイデアとして思いついたことや、物的環境として追加したいもの（アイテム）」などがいろいろ出てきたら、まずは何か１つでも取り組んでみてください。パン屋さんごっこのために、いきなり「トレーやトング、パン」のすべてを用意しなくても、まずはトレーから用意してみようということからはじめてみても構いません。

「保育者の援助」の視点から

ここでは「保育者の援助」をテーマに研修を考えていきます。一人一人が個性豊かで、かけがえのない子どもへの深い理解と愛情、敬意のもと、その育ちや学びを育む「保育者の援助」は、保育者独自の専門性であると考えます。一人として同じ子どもはおらず、一つとして同じクラスはない中、「保育者の援助」はマニュアル化できません。よって、「保育者の援助」にかかわる研修の積み重ねこそが、園の保育実践の質の鍵を握ると考えられます。

Step 1 「キーワード」を導き出そう

example 「保育者の援助」というテーマから思いつくキーワードをあげてみよう！

1. 個々の子どもの理解を深める
2. 安心・安全な場づくり
3. 育ちの見通しと保育者の願い

テーマ：保育者の援助

4. 子どもの姿を踏まえた計画
5. 協同的な学び

Let's think 自分自身の園の場合のキーワードも考えてみよう！

6.
7.

Step 2 「現状と目指したい保育の方向性」を確認しよう

example 「キーワード」から自園の現状（園全体・個人）と目指したい保育の方向性についてまとめてみよう！

1 個々の子どもの理解を深める

個々の子どもの理解を深めたり、視点を多くもつことがむずかしい。たとえば、子どもの気づきや、興味・関心、好奇心などの思い、「なぜだろう？」といった探求心、試行錯誤や憧れなど、子どもが実現したいことへの理解を深めていきたい。

2 安心・安全な場づくり

子どもが自己を表現し、育ち、学ぶ大前提としての、安心できる関係性を築きたい。つい禁止・命令をしてしまいがちなので、子どもが委縮せず、伸び伸びと自分らしく表現し、遊び、生活を営むことができる居場所をつくりたい。

3 育ちの見通しと保育者の願い

主体性を尊重することは実際にはむずかしい。遊びや生活の中で子どもの育ちや学びへの見通しをもち、育ってほしい姿への願いを意識したい。また予測と違う展開をむしろ歓迎し楽しむ余裕をもち、保育の中で日々発見・感動し、自らも成長したい。

4 子どもの姿を踏まえた計画

個々の子どもの姿を踏まえた計画の具体的な方法が理解できていない部分がある。子どもの育ちや学びのねらいをもちつつ、教育課程や全体的な計画、長期・短期計画を子どもとの相互作用のもと、PDCA サイクルも意識しながら編成したい。

5 協同的な学び

一人一人の子どもの育ちや学びを大切にしているが、協同的な学びを促すことがむずかしい。ある子どもの気づきや、興味・関心、疑問、迷い、試す姿、おもしろいアイデアをほかの子どもやクラスで伝え合い、学び合うように援助を工夫したい。

Let's think 自分自身の園の場合も考えてみよう！

6

キーワード
現状と目指したい保育の方向性

7

キーワード
現状と目指したい保育の方向性

Step 3 「園内研修テーマ」を考えよう

example 「園の現状」から園内研修テーマ、研修内容を考え、その研修の参考となる資料をまとめてみよう！

	研修テーマの例	研修内容の例	研修の参考となる資料
①	個々の子どもの生活の姿をていねいにとらえる	基本的生活習慣の観点から、個々の子ども理解を深める。一人の子どもの①食事、②排泄、③睡眠、④衣服の着脱、⑤清潔、⑥生活リズムについて振り返り、その特徴とそれに応じた援助の工夫を参考資料を活用し考える。	・「早寝早起き朝ごはん」全国協議会HP ・特定非営利活動法人子どもとメディアHP
②	子どもの安全・安心につながる保育者の人権意識を考える	既存のチェックリストなどを活用して、人権擁護の基礎を確認する。	・全国保育士会HP「人権擁護のためのセルフチェックリスト」
③	個々の子どものコミュニケーションの実態を抽出し検討する	ある子どもの対個人、対集団のコミュニケーションの姿を思い浮かべ、それぞれについて、相手に自分の気持ちを伝えている場面、相手の話を聞く場面を考える。	・北野幸子監修『子どもと保育者でつくる育ちの記録』日本標準、2020
④	子どもの姿から保育計画を考える	作成した日案、週案について、設定された「ねらい」とかかわる実際の子どもの姿から、①発達、②興味・関心、③生活課題についてあげる。また、「ねらい」が達成された場合に期待される子どもの言動を具体的に考える。	・日案、週案 ・無藤隆、大豆生田啓友編『3・4・5歳児子どもの姿ベースの指導計画』フレーベル館、2019
⑤	伝え合い、学び合い、共感を促す援助の工夫を考える	子ども主体の保育を意識しながら、子どもの姿を振り返る。たとえば、子どもの人間関係、コミュニケーションの姿を振り返り、聞きたい気持ち、伝えたい気持ちを育む援助の工夫を考える。伝え合いへの仲立ち、共感を促すなど、保育者の援助の工夫を考える。	・厚生労働省「子どもを中心に保育の実践を考える一保育所保育指針に基づく保育の質向上に向けた実践事例集」2019

Let's think 自分自身の園の場合も考えてみよう！

	研修テーマの例	研修内容の例	研修の参考となる資料
⑥			
⑦			

Step 4 園内研修に取り組もう

研修テーマ　個々の子どものコミュニケーションの実態を抽出し検討する

多くの小学校教員が、幼児期に育んでほしいと考えている力の一つに、「聴く態度」をあげています。人の話を「聴く態度」の育成の前提として、幼児期に大切にしたい経験があります。それは、保育者や友達に自分のうれしかったことや、発見した内容を伝えて、共感してもらったという肯定的な体験、友達と一緒に保育者のおもしろい素話を聞いたり、絵本を読んでもらったりして楽しかったという経験、友達の考えを聞いてなるほどと納得し、自分も取り入れてみようと思った経験などです。その積み重ねが、伝えたい気持ち、聴きたい気持ちを育み、それが態度の形成につながるのです。保育者には、まず、子どものコミュニケーションの姿を理解すること、さらにはその理解に基づき、援助の工夫を考えることが望まれます。

日々の実践をやりっぱなしにせず、振り返り＝省察（個人ワーク）、さらには、対話による共有（グループワーク）を組み合わせた研修を、次の実践における個々の子どもの援助の工夫につなげることが可能です。

用意するもの	手順①で作成する資料：5 人分程度、ふせん、模造紙、筆記用具
研修時間	60 分程度
参加人数の目安	特になし

手順①　保育者個人で一人一人の子どもの聴く力、伝える力を振り返る　40分

事前の準備として、クラスの一人一人の子どもの、対個人（A：先生、B: 友達)、対集団（C：振り返り場面などクラス全体）の、コミュニケーションの姿を思い浮かべてみましょう。A ～ C について、(a) 相手に自分の気持ちを伝えている場面、(b) 相手の話を聞く場面をあげてみましょう。

一人の子どもにつき 3 × 2 = 6 場面となります。コンピュータなどで園独自の記録シートを作成してもよいでしょう（次頁、子どもの姿記録シート参照)。

子ども一人につき 5 ～ 10 分程度で進めていきましょう。

クラス名（　　　　　　　　）（　　）歳児　園児氏名（　　　　　　　　　　）　年　月　日

	A：対個人：先生	B: 対個人：友達	C: 対集団
a: 相手に気持ちを伝える場面			
b: 相手の気持ちを聴く場面			

子どもの姿記録シートの一例 巻末シート p.106

コミュニケーション場面が浮かびにくかった場合は、子ども名と場面の種類を記録しておきましょう。

手順② グループで共有する 15分

４人１グループをつくりましょう。保育者一人あたり５名の記録シートをもち寄って、その内容を互いに紹介しましょう。ふせんを活用しながら、事例の特徴で気づいたこと、感じたこと、あとで質問したいことなどを記載してみましょう。ふせんの色を分けておくと、あとの話し合いがしやすくなります。たとえば、赤色のふせん＝子どもの姿・育ち、青色のふせん＝保育者の援助、黄色のふせん＝取り入れたいこと、緑色のふせん＝質問したいこと、提案したいことなどと決めておくとよいでしょう。

手順③ 事例を素材にして、子どもの対人関係形成力を育む保育者の援助を考える 5分

ふせんで書いた内容を共有してみましょう。次に共有した内容をまとめてみましょう。類似した内容、関連する内容ごとにふせんをまとめて、模造紙に貼ったり、丸を書いてふせんを囲んだり、その横にキーワードを記載したりしてみましょう。一人一人の聞きたい気持ち、伝えたい気持ちを育む上

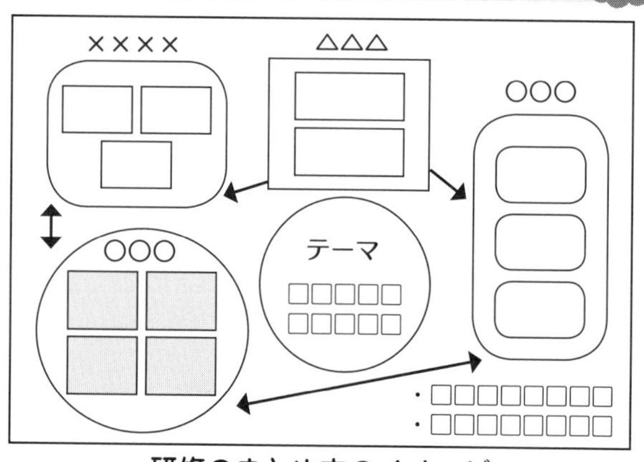

研修のまとめ方のイメージ

で、大切にしたい保育者の援助の工夫を省察と対話の中で確認していきましょう。

Step 5 園内研修での学びを活かそう

Step4 で紹介した研修内容は次のような学びに活かすことができます。

手順①で作成した、一人一人の子どもの伝える姿や、聴く姿を振り返り、記録シートにまとめてみましょう。その記録に基づいて、日ごろの保育場面や、集会場面、振り返り場面に活かしましょう。たとえば、子どもが自分の気持ちや意見などを集会場面などでクラス集団に対して話す様子を記録シートに記入するときに、なかなか思い浮かばなかった子どもが誰であったのか、メモをとっておきましょう。そうすると、その子どもの遊びや生活の中で、友達に伝えたいであろう出来事がないか、という意識をもったり、すてきなエピソードを心に留めておいたりすることができます。振り返り場面でクラス集団に話をする機会を、タイミングを見計らって提供することにつなげることができます。

日常の保育場面において、手順③で知った内容を活かして、言葉を添えたり、子ども同士をつないだり、仲立ちしたりといった、対人関係を育む援助を工夫してみましょう。

COLUMN

乳幼児教育の独自性 ──「子どもの理解」を基軸とした実践

指針・要領等は、乳幼児教育実践のよりどころとなるものです。小学校の学習指導要領と読み比べてみると、乳幼児教育の独自性がよりわかりやすいのではないでしょうか。当たり前のことですが、小学校と異なり、園では教科がありません。教科書も使いません。チャイムもなりません。この理由には、誕生から間もないほど個人差が大きいことや、発達的に自己中心性が強く視野も狭いので人に与えられた経験よりも自らの好奇心に基づく経験のほうを好むことなどがあります。さらには、教育基本法に提示されているように幼児教育は一生涯にわたる人格形成の基礎を培う教育であり、個別の教科の内容を学び、ある特定の知識を覚えたり、技能を習得したりすることよりも、その学びの基礎を育む教育です。人やものに気づき、興味をもち、疑問を抱き、かかわり、試行錯誤し、創意工夫し、創造力を発揮する等の経験を大切にすることが乳幼児期に保障したい教育です。

これら乳幼児教育の独自性を踏まえた場合、そのスタートは保育者の「子どもの理解」にあります。個々の子どもの姿をとらえ、それに基づき、環境を構成・再構成し、援助を工夫することが保育者の大切な専門性だと考えます。

Case 4

「障害児保育」の視点から

ここでは「障害児保育」をテーマに研修を考えていきます。障害児の権利への高い認識のもと、それぞれの障害に固有な子どもの姿の特徴や子どもの背景にある社会経済的な状況などへの理解に基づきながら援助することが保育専門職には望まれます。園でそれぞれが、自分らしく幸せに生活し、遊びを通じて育ち、学ぶことを支える保育者の仕事はかけがえのない仕事です。障害児保育の視点をもつことによって、子どもの育ち合い、学び合いを支えることについて考えていきましょう。

Step 1 「キーワード」を導き出そう

example 「障害児保育」というテーマから思いつくキーワードをあげてみよう！

1. 育ち合う関係性づくり
2. 障害児の権利
3. 障害児への理解と援助の工夫

テーマ

障害児保育

4. 連携づくり
5. 環境づくり

Let's think 自分自身の園の場合のキーワードも考えてみよう！

6.
7.

Step 2 「現状と目指したい保育の方向性」を確認しよう

example 「キーワード」から自園の現状（園全体・個人）と目指したい保育の方向性についてまとめてみよう！

❶ 育ち合う関係性づくり

障害児の個別援助に加えて、関係性づくりや育ち合いを促す援助の方法が共有できていない。障害児とともにあるからこそ育ち合う、クラスの子どもたちの姿への理解を深めたい。クラスの子どもたちの障害への理解や関係性の育ちの援助について考えたい。

❷ 障害児の権利

障害児への理解や、援助にあたって、日々の実践ではさまざまな悩みや迷いがある。「障害者の権利条約」を職員で一緒に読み、基本的な原則を確認し合い、援助にあたり大切にしていることについての共有を図りたい。

❸ 障害児への理解と援助の工夫

自園の障害児について、その姿を具体的に取り上げることすらしていない。ふせんなどを利用して、障害の特徴、診断の基準、実際の姿、合理的配慮を怠っている事例がないか、援助の工夫などを出し合いグループワークを行ってみたい。

❹ 連携づくり

障害児の家庭の状況や人間関係に関する理解が十分ではない。園だけで支援するのではなく、家庭や、地域の人々、保健医療関係者、ソーシャルワーカーなどとの連携づくりの方法について考えたい。

❺ 環境づくり

すべての子どもにとって安全で居心地がよく、自発的に活動しやすいような環境が整えられていない。集中できるシンプルな環境、落ち着ける空間、行動支援など、自園の環境構成の工夫について、写真を用意したり、エピソードを紹介しながら共有したい。

Let's think 自分自身の園の場合も考えてみよう！

❻

キーワード
現状と目指したい保育の方向性

❼

キーワード
現状と目指したい保育の方向性

Step 3 「園内研修テーマ」を考えよう

example 「園の現状」から園内研修テーマ、研修内容を考え、その研修の参考となる資料をまとめてみよう！

	研修テーマの例	研修内容の例	研修の参考となる資料
①	子どもの人間関係を確認し育ち合う関係を考える	子どもの人間関係の理解を深めるため、エコマップを作成する。	・今治市・地域包括支援センター主任ケアマネ部会「エコマップとジェノグラムの書き方」2020
②	障害児（者）の権利に関する基本を確認する	「障害者の権利に関する条約」（2014 年に日本は批准）を読み、理解を深める。自分の言葉で「合理的配慮」とは何か説明できるようになる。保育を振り返り「合理的配慮」の実践事例を共有する。	・「障害者の権利に関する条約」 ・独立行政法人国立特別支援教育総合研究所 HP「インクルーシブ教育システム構築支援データベース」
③	障害への理解を深め、援助の工夫を考える	障害の種類と障害ごとの特徴を書き出して整理する。整理した内容を踏まえて、自園の子どもの姿を振り返り、子どもの障害への理解を深める。	・独立行政法人国立特別支援教育総合研究所 HP「障害種類別資料」 ・内閣府大臣官房政府広報室 HP：政府広報オンライン「発達障害ってなんだろう」
④	園、家庭、小学校、地域の連携についての理解を深める	「トライアングル・プロジェクト」（厚労省・文科省、2018）について学ぶ。自園における連携状況について振り返り、評価したり、実行可能な行動目標を設定したりする。	・文部科学省 HP：家庭と教育と福祉の連携「トライアングル・プロジェクト―障害のある子と家族をもっと元気に」
⑤	自園の環境を、確認したり、見直したりする	園の施設全体の安全を見直してみる（門の鍵の位置、フェンスの高さ、遊具の安全、死角など）。保育室や遊び場の安全や動きやすさ、壁面構成（刺激の少ない）、整理整頓状況なども確認する。	・テルマ・ハームス他、埋橋玲子訳『新・保育環境評価スケール１〈3歳以上〉』法律文化社、2016 ・テルマ・ハームス他、埋橋玲子訳『新・保育環境評価スケール２〈0・1・2 歳〉』法律文化社、2018

Let's think 自分自身の園の場合も考えてみよう！

	研修テーマの例	研修内容の例	研修の参考となる資料
⑥			
⑦			

Step 4 園内研修に取り組もう

研修テーマ 子どもの人間関係を確認し育ち合う関係を考える

幼児期は、他者への関心が高まり、共感の育ちが育まれるなど、対人関係形成力が育つ時期です。さまざまな個性や背景にある子どもたちが生活や遊びの経験をともに積み重ねていく中で、互いに他者理解を深め、その理解に基づくかかわり方を身につけていきます。相手の個性を理解し、それに応じて、たとえば無理強いしない、状況によって干渉しすぎない、必要なときにのみ的確に手を差し伸べるといった姿が、障害児と過ごす子どもたちの生活や遊び場面ではよく見られます。研修を通じて、こういった子どもたちの姿への理解を深め、記録を工夫し、環境の再構成や援助のさらなる工夫につなげましょう。

用意するもの	エコマップ・シート、エピソードなどの記録用紙、筆記用具
研修時間	60分程度
参加人数の目安	クラスの担任保育者３人～全職員

COLUMN

エコマップとジェノグラム

エコマップ（Ecomap）とは、人と接する専門職が支援や援助をするときに活用する図のことを指します。支援の対象である人を中心に、その人と関係のある人や、場など、その人を取り巻く社会的資源との関係をわかりやすく図で表したものです。一般的な記号は右の通りです。

対象者：二重丸 ◎
強い関係：太い線 ━━━
普通の関係：普通の線 ───
弱い関係：点線 ………
対立関係：ギザギザの線または斜線 ////////
働きかけの方向：矢印 →　←　↔

エコマップの記号

また、本書では取り上げていませんが、エコマップのほかにも、ジェノグラム（Genogram）という方法があります。ジェノグラムは、人を対象として支援する仕事（園や学校、病院、相談機関など）において活用される記録で、家族構成をツリー型の図で示す家系図のことを指します。ジェノグラムは、ジェネレーション（Generation＝世代）と、ジーン（Gene＝遺伝子）ダイアグラム（Diagram＝図）という英単語を合わせてつくられた名称です。ジェノグラムでは、支援の対象となる人とその人の家族の構成員やそれぞれとの関係性、同居状況などを図示します。記載しやすいことや支援の対象となる相手を取り巻く人間関係の実態や、変化を把握しやすいことなどから、多くの対人援助職の現場の記録として活用されています。ジェノグラムを作成することで家族関係への理解を深めることも期待されます。

特に特別な支援を必要とする子どもたちの援助にあたっては、家庭などの背景への深い理解と、家庭との連携や協同が不可欠であり、エコマップやジェノグラムの活用が期待されます。

手順① 子どもの人間関係についてエコマップを書いてみる　35分

各自で、自園の障害児（対象児）を含めた、子どもの人間関係についてエコマップを書いてみましょう。また、その子ども同士のかかわりの特徴について、エピソードを記録しましょう。

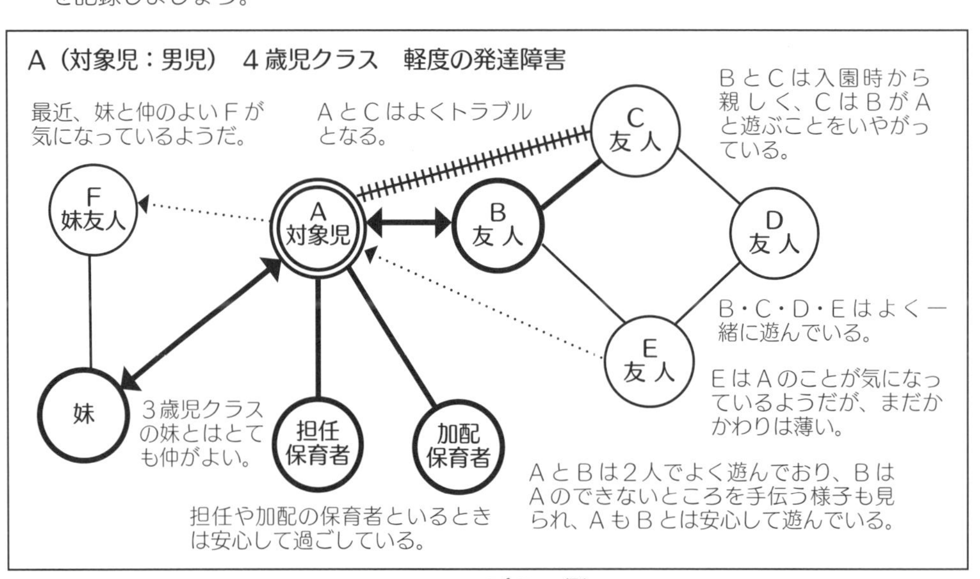

エコマップの一例

手順② 子どもの人間関係について説明する　10分

手順①で作成したエコマップを活用し、エピソードを盛り込みながら、障害児を含めた、クラスの子ども同士のかかわりの特徴について、説明しましょう。

手順③ 子どもの人間関係について説明する　15分

手順②で共有した事例を踏まえて、障害や人間関係など、他児の個性を子どもたちはどのように理解しているのか、話し合ってみましょう。また、子どもが他児などの表情や言動から、自分の行動を調整しようとする姿（社会的参照）を取り上げて、話し合ってみましょう。事例の中から、相手の個性を理解し、それに応じて、たとえば無理強いしない、状況によって干渉しすぎない、必要なときにのみ的確に手を差し伸べるといった姿を確認しましょう。また、保育者の援助で留意すべきことを共有し、確認しましょう。

Step 5 園内研修での学びを活かそう

園での子どもたちの姿には、他児に対して、集団における一斉活動に参加するように無理強いしない、状況によって過剰に干渉しない、といったかかわり方もあります。手順③で共有した事例を省察し、障害のある子どもを含むクラスの子どもたちの人間関係について、多様な視点をもって理解を深めることが可能です。

研修で共有した内容からヒントを得て、環境を再構成しましょう。落ち着ける場所、一人になれる空間、ちょっとしたパーテーションの配置、情報量が多すぎない壁面環境、ものの置き場所に図や写真を貼るなど、障害児を含めた人間関係の育ちを踏まえた環境の再構成が可能です。

個別援助計画と、クラスの短期保育計画の中に、他児理解、状況に応じて行動を調整する力の育ちの観点を入れるなど、工夫してみましょう。

COLUMN

「インクルーシブ教育」とは

「インクルーシブ教育」とは、保護者の就労形態や社会経済的状況などの家庭環境、人種、性差、障害の有無を超えて、すべての子どもがともに学び合う教育であり、その仕組みづくりが現在模索されています。

2006（平成 18）年 12 月 13 日国連（国際連合）総会で「障害者の権利に関する条約（Convention on the Rights of Persons with Disabilities)」が採択され、日本では、2007（平成 19）年に署名され、2014（平成 26）年より効力が発生しました。この条約では、障害者の人権（基本的自由）を確保し、障害者に固有な状況を踏まえ尊厳が尊重されるような法のシステムづくりについて定められています。特に「第 24 条　教育」では、「この権利を差別なしに、かつ、機会の均等を基礎として実現するため、障害者を包容するあらゆる段階の教育制度及び生涯学習を確保する」とあり、以降「包括する教育制度（inclusive education system)」、つまり「インクルーシブ教育」「インクルージョン保育」という言葉が社会に広く浸透しました。実践においても、地域の子どもがその地域でともに育つ、障害の有無や家庭教育環境、保護者の就労形態などにより分断されない「インクルージョン保育」が広がっています。

「新任保育者育成」の視点から

新任保育者の育成というときに、「この新人のどこをどう指導してどう育てようか」という視点に立つことも悪くはないのですが、「この新人が自ら学ぶようにするにはどのような仕かけがよいか」という視点に立つと、より効果的です。新任保育者が自らの課題に気づき、その課題に向き合う手がかりになる研修となるよう組み立て方について考えてみましょう。

Step 1 「キーワード」を導き出そう

example 「新任保育者育成」というテーマから思いつくキーワードをあげてみよう！

1. 子どもの安全を守る
2. 子どもの安心を保障する
3. 子どもの姿を記録する

テーマ
新任保育者育成

4. 子どもを理解する
5. 子どもの試行錯誤を促す

Let's think 自分自身の園の場合のキーワードも考えてみよう！

6.
7.

Step 2 「現状と目指したい保育の方向性」を確認しよう

example 「キーワード」から自園の現状（園全体・個人）と目指したい保育の方向性についてまとめてみよう！

1 子どもの安全を守る

子どもの安全確保と事故防止などは、子どもが自由に遊ぶ中で、どこにどのようなリスクがあるかを自分で予想することがまだむずかしい。リスクを具体的に意識して、環境を構成する力を身につけたい。

2 子どもの安心を保障する

子どもは保育者に対して安心感をもっていると、環境に主体的にかかわりながら、気づいたり考えたりしたことを安心して保育者に伝えてくれる。焦らず、いつでも子どもが安心できるかかわり方について考えられるようになりたい。

3 子どもの姿を記録する

PDCA サイクルによって保育を向上させたいとき、P（計画）の基盤となるのは子どもの姿である。子どもが学びに向かうことができるような計画を立てるために子どもの興味・関心・意欲などを的確にとらえたいとき、子どもの姿をどのように記録していくとよいだろうか。

4 子どもを理解する

保育者が子どもを理解することが子どもの主体的・対話的で深い学びの基盤である。子どもを理解するとは具体的にどのようなありようを目指せばよいのか実感を伴ってわかるという経験につなげていきたい。

5 子どもの試行錯誤を促す

子どもが学べるよう援助したいと思っていると、つい、保育者が考えている正解へのヒントを出したり、正解を教えたりしがちである。試行錯誤が学びへと向かう姿だとすると、子どもの試行錯誤をどのように促していけばよいのだろうか。

Let's think 自分自身の園の場合も考えてみよう！

6

キーワード
現状と目指したい保育の方向性

7

キーワード
現状と目指したい保育の方向性

Step 3 「園内研修テーマ」を考えよう

example 「園の現状」から園内研修テーマ、研修内容を考え、その研修の参考となる資料をまとめてみよう！

	研修テーマの例	研修内容の例	研修の参考となる資料
①	**遊びの中でのヒヤリ・ハットから環境構成を見直す**	遊びの中でのヒヤリ・ハットを発見し、安全を確保しつつ自由な遊びを保障する環境構成について検討する。	・伊東知之、大野木裕明、石川昭義『子どもの事故防止に関するヒヤリハット体験の共有化と教材開発―保育・幼児教育の現職者と実習大学生のキャリア発達から』福村出版、2017
②	**予想外の子どもの姿から子どもの気持ちを考える**	予想外の子どもの姿に自分がどう感じたかを率直に出し合って、子どもをありのままに受け止める方法を検討し合う。	・井桁容子『みんなの育ちの物語―子どもの見方が変わる』フレーベル館、2011 年
③	**さまざまな記録の方法を試す**	任意の一人の子どもの一日の姿を、日によってメモ、カメラ、音声レコーダー、ビデオカメラで記録し、それぞれのメリットとデメリットに気づく。	・河邉貴子、田代幸代編『目指せ、保育記録の達人！―Learning Story + Teaching Story』フレーベル館、2016
④	**写真を見ながら子どもの気持ちになってみる**	写真に、子どもの気持ちになって仮説としてのキャプションを付して、それをもとに他の仮説を出し合う。	・大豆生田啓友編『「語り合い」で保育が変わる―子ども主体の保育をデザインする研修事例集』学研プラス、2020
⑤	**環境構成を変えて子どもの変化を見てみる**	言葉で援助するのではなく環境構成を少し変えてみて、どのような環境で子どもの試行錯誤が活発になるかを検討する。	・宮里暁美監修『０－５歳児　子どもの「やりたい！」が発揮される保育環境―主体的・対話的で深い学びへと誘う』学研プラス、2018

Let's think 自分自身の園の場合も考えてみよう！

	研修テーマの例	研修内容の例	研修の参考となる資料
⑥			
⑦			

園内研修に取り組もう

研修テーマ　写真を見ながら子どもの気持ちになってみる

保育の基本は、子どもを理解することです。

新任保育者の場合、自分が失敗なくできるか、上手にできるかなどと不安が膨らみ、自分に関心が向かいがちです。そのようなときは子どもをしっかり見ることに集中し、また子どもに問いかけてみましょう。また、子どもを自分のものさしでわかろうとするのではなく、子どもの姿をありのままにとらえ、その気持ちを想像してみることが大切です。

こうした姿勢を身につけるために、以下のような園内研修が役立つでしょう。

ここで大切なことは、正解を見つけようとしないということです。自分なりに子どもの気持ちを想像してみるということは、実は「理解」というより「仮説」です。だとすると、ほかの保育者の仮説も出してもらって考え合うと、いろいろな角度から子どもを見ようとする姿勢が身につきます。この姿勢が、子どもを理解するまなざしを育てます。

用意するもの	写真、模造紙、ふせん（75㎜角以上）、筆記用具（マーカー）
研修時間	45 分程度
参加人数の目安	3～5人

手順①　新任保育者が写真とストーリーを用意する

新任保育者が、遊びや葛藤の場面など一連の子どもの姿を撮った、7～10 枚程度の写真を用意します。それらを時系列に並べて、模造紙に貼っていきます。

新任保育者は、あらかじめ、写真１枚１枚に対して、仮説としての「子どもの心の声」を想像してふせんに書き、写真のそばに貼り、ストーリーを組み立てておきます。

そして、模造紙に、この一連の子どもの姿とその読み取りを踏まえてタイトルを書いておきましょう。

手順② 模造紙を囲んでディスカッションをする　35分

新任保育者は、これらの子どもの姿の一連の過程について、なるべく事実と解釈を分けながら一つのストーリーとして説明していきます（5 分程度）。

次に順番に 1 枚ずつ、新任保育者による「子どもの心の声」と異なる解釈による「子どもの心の声」をほかの保育者から一人 1 例ずつ、ふせんに書いて簡単に説明しながら出し合っていきます（30 分程度）。

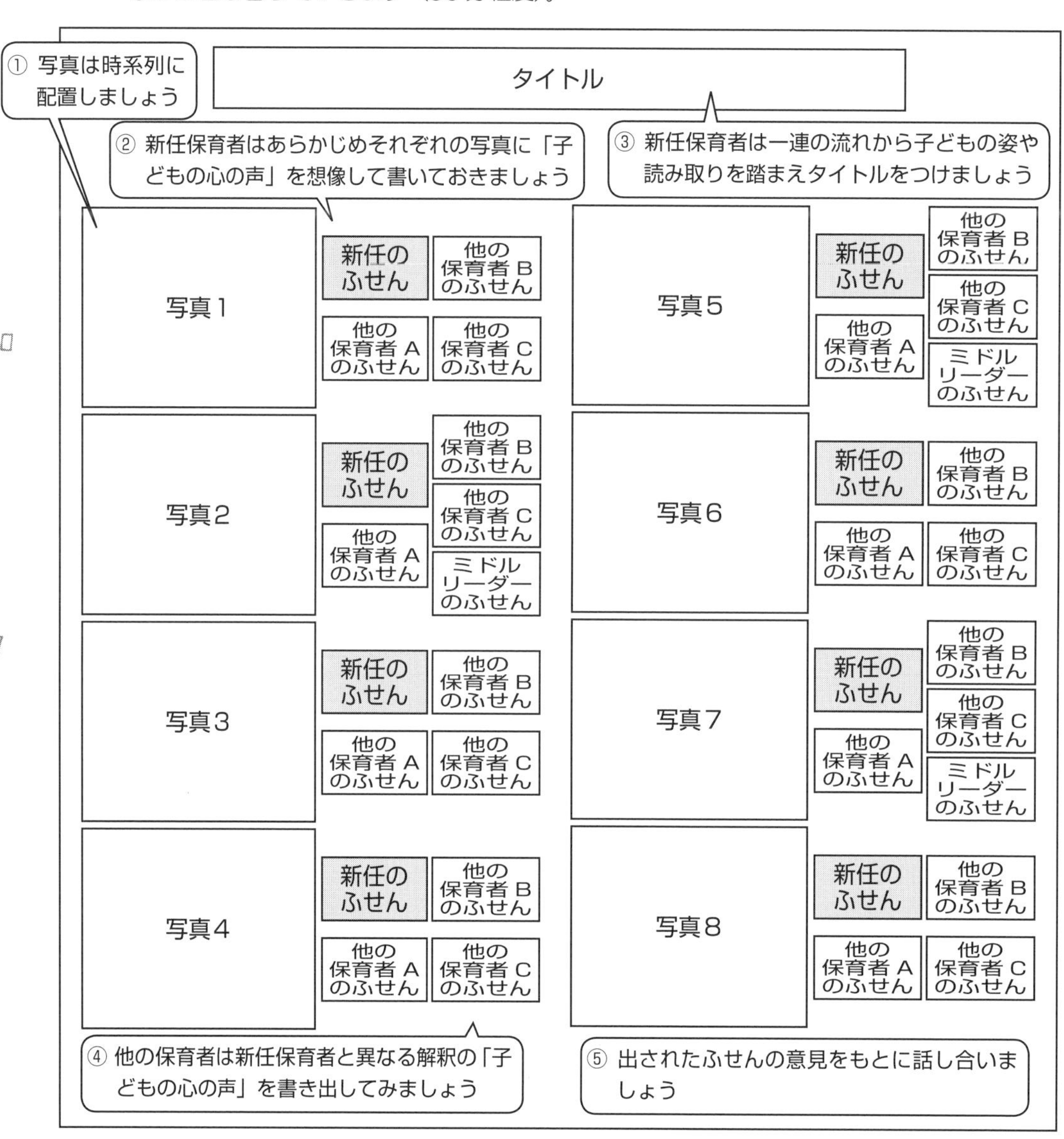

写真とストーリーによる研修の流れ

手順③ ストーリーを組み立て直す 10分

新任保育者は、出てきたほかの解釈を踏まえて、最初のストーリーとは異なるストーリーをもう一つ考え、整理して、グループのメンバーに発表します。

Step 5 園内研修での学びを活かそう

さて、ここで示した研修は、どのような意図をもって、どのような効果を期待して行われるものなのでしょうか。

経験が少ない保育者は、同じ光景を見たとしても注意を払う「視点」が少ないと考えられます。また、解釈の幅も狭いと思われます。こうした課題は漠然とでも経験を積むことでいくらか克服されていくかもしれませんが、かなりの時間を要します。

この研修では、まず、新任保育者が子どもの姿について自分なりにストーリーを組み立てることで、見たこと、経験したことを改めて言語化し、自覚化します。このことにより、子どもの今の姿に対して場当たり的な対応をするのではなく、より長い時間的スパンを見通して子どもの育ちを促すような援助が可能になってきます。

加えて、他の保育者の多様な視点と解釈を参照しながら子どものストーリーに別の可能性を見出すことで、視点が増え、解釈の幅が広がり、子どもの可能性をより広くとらえることができようになります。

「子どもを理解する」ことは厳密にいえば不可能ですが、そのオプションが豊かにあることで、より適切な子どもの理解に近づくことが可能になります。

COLUMN

助けを借りる力

新任保育者にはもちろん、専門職としての知識・技能に課題があります。ではそれらをどうやって育てていこうかと考えていくことも大事ですが、どうすれば自ら成長していってくれるかという観点がより大事ではないでしょうか。

自ら考えて動くことができる保育者へと成長していくためには、子どもや先輩保育者からさまざまなことを吸収していくことが欠かせません。人から学ぶためには、自分だけで何とかしようとするという殻を破って、先輩に聞くことができる、困ったら助けを借りるという力が大事です。しかし新任保育者がそうできるようになるには、安心して聞ける、頼れるという組織の状況が大切です。みなさんの園がそういう状況になっているか、振り返ってみるとよいでしょう。また園内研修が、安心してほかの保育者に聞いてみることができるという組織風土をつくっていくきっかけにもなります。

「得意分野の開発」の視点から

ここでは、「得意分野の開発」につながる研修を提案していきたいと思います。保育力を育成していく上で、苦手なことを確認してそれを補う学びを進めていくことも大事です。しかし、子ども同様大人も好きなことや関心の高いことは取り組みやすいので、まずは関心のある分野を見つけ、あるいはつくり出して保育力を開発しましょう。その際、さまざまな情報を調べたり、伝え合ったりすることで、関心のある分野が見つけやすくなります。

Step 1 「キーワード」を導き出そう

example 「得意分野の開発」というテーマから思いつくキーワードをあげてみよう！

Let's think 自分自身の園の場合のキーワードも考えてみよう！

6

7

Step 2 「現状と目指したい保育の方向性」を確認しよう

example 「キーワード」から自園の現状（園全体・個人）と目指したい保育の方向性についてまとめてみよう！

❶ 自己の振り返り

得意な分野と聞かれて、自分は「ピアノ」が得意だと思っていたが、他者（ほかの保育者や子ども）から見てどう見えているか気になった。また、ほかに得意なことはないか探してみたい。

❷ 他者から学ぶ

ほかの保育者の得意な分野について聞いてみたいが、なかなか機会がもてない。ほかの保育者の得意な分野について聞き、なぜ得意なのか、どのような学びや工夫をしているのかも知り、自分自身の日常の援助や保育技術などにも活かしていきたい。

❸ 保育技術

日々行う手遊びや歌、絵本、紙芝居、運動遊びなどのレパートリーをもっと増やしたいと思っているが、なかなかできていない。子どもの興味・関心に合わせた保育技術がすぐに実践できるようにレパートリーを増やしたい。

❹ 学びの機会

日々の忙しさに追われ、保育や教育に関することを学びたいと思っているが、現状、まったくできていない。最新の保育や教育の現状などをどのように調べたり、学んだりしたらよいか、またそれを日々の保育にどう活かしたらよいか知りたい。

❺ 試行錯誤から学ぶ

得意分野といわれても、自信をもてる分野がない。何かを試すことで学べるということは頭ではわかっているが、先輩のことをまねるのが精いっぱいな状況である。失敗を恐れず、今までチャレンジしていない分野についても挑戦してみたい。

Let's think 自分自身の園の場合も考えてみよう！

❻

キーワード
現状と目指したい保育の方向性

❼

キーワード
現状と目指したい保育の方向性

Step 3 「園内研修テーマ」を考えよう

example 「園の現状」から園内研修テーマ、研修内容を考え、その研修の参考となる資料をまとめてみよう！

	研修テーマの例	研修内容の例	研修の参考となる資料
①	よいところを見つけ合って保育者としての自分を理解する	一定期間、グループのメンバーのよいところを見つけ合った上で、園内研修でふせんに書いて出し合って自分のよさに気づく。	・鯖戸善弘『対人援助職リーダーのための人間関係づくりワーク―チームマネジメントをめざして』金子書房、2017
②	得意分野についてインタビューし合う	それぞれの得意分野について、他のメンバーが一つずつ質問をして、得意分野ができたきっかけや過程を知る。	・ダイアナ・ホイットニー他、市瀬博基訳『なぜ、あのリーダーの職場は明るいのか？―ポジティブ・パワーを引き出す5つの思考法』日本経済新聞出版社、2012
③	保育技術の情報交換をする	保育雑誌やwebサイトで得た保育技術や表現技術のレパートリーを紹介し合う。	・『保育とカリキュラム』ひかりのくに
④	研究論文を調べて交換し合う	webサイトで見つけた興味をもった研究論文を紹介し合う。	・研究論文検索サイトのHP J-STAGE（国立研究開発法人科学技術振興機構） CiNii（国立情報学研究所）
⑤	小さな試行錯誤を重ねる	グループで、遊びのコーナーの一つを段ボールで囲ってみる、一日大きな声を出さないようにしてみる、といった小さな変化を決めて試し、子どもの変化について話し合う。	・那須信樹他『手がるに園内研修メイキング（改訂版）』わかば社、2017

Let's think 自分自身の園の場合も考えてみよう！

	研修テーマの例	研修内容の例	研修の参考となる資料
⑥			
⑦			

園内研修に取り組もう

研修テーマ　研究論文を調べて交換し合う

保育は理論と実践から成り立っていますから、実践的な技術の洗練だけでなく、実践を支える知識や理論も鍛えていくことで、実践が改善され、保育の質が高まっていきます。

理論というとむずかしく感じるかもしれませんが、私たちはみな何らかの理論（意識的な場合と無意識の場合があります）をもとに実践を行っています。また理論を学ぶことで実践が向上していきます。実践の根拠がより確かになるのです。

学生時代を思い出して、興味のある、あるいは今の実践課題についての論文を探してみましょう。それをまとめて伝え、それをもとに話し合うことで理解を深め、実践に活かしていきましょう。実践で困ることがあったときに、研究論文で明らかになっていることがヒントになることがあります。

用意するもの	報告用資料（レジュメ）
研修時間	20分程度
参加人数の目安	4人程度

手順① 調べる

調べた論文を報告する担当の保育者を決めます。担当の保育者が、自分がもっとも興味ある分野を決めて文献（書籍や論文）を1つ見つけます。論文は、J-STAGE（ジェイステージ、国立研究開発法人科学技術振興機構）やCiNii（サイニイ、国立情報学研究所）といったwebサイトで検索して探すことができます。

見つけた書籍や論文を、A4判2ページ程度のレジュメに要約します。箇条書きにしたり図表を用いたりするなどして、ポイントを的確にまとめて、読み手が理解しやすいよう工夫します。なお、書籍の場合、書籍内の選んだ1章分など、しぼって報告するとよいでしょう。

著者、タイトル、掲載誌、発行年などの文献情報を書いておくと、さらに調べていくときなどに役立ちます。

手順② 伝える

報告者は、自分で時間を見ながら、決められた時間ちょうどで報告するよう努めましょう。決められた時間で説明することで、話す内容をしぼる必要が出るため、要点が何かを考える習慣がつきます。また、原稿を朗読するような話し方ではなく、自分が「ああ、そうか」と学んだ内容を相手にわかってもらえるように話しましょう。上手に読むことより、相手に「伝わる」ことが大切です。

手順③ 質疑応答を行う

10分

1人が必ず1つ以上、発表内容について質問をします。発表を聞くときはただ聞いていても質問は浮かびません。質問を「つくる」という意識で聞くとよいでしょう。どうしても質問が浮かばない場合は、具体的なポイントをあげて感想を述べてもよいでしょう。

立派なことや正解をいおうとしないことが大切です。みんなでさまざまな気づきを出し合うことで、発見が増えて、理解が深まります。

なお、多くのポイントを出し合うために、質問は1回の発言につき1つ、お互いに1分程度で簡潔に話すよう努めます。

回答できなかった質問については、可能な範囲で調べ、次の回の冒頭で改めて回答するとみんなの学びになります。

順番に1～2名ずつが報告して年に1回は必ず報告するくらいのペースでよいでしょう。人数が多い園ではグループ分けをするとよいでしょう。

COLUMN

対話を通じて学び合う

「対話」という言葉がよく使われるようになってきました。「会話」や「議論」ではいけないのでしょうか。

筆者の理解では、会話は、人間関係を維持するためのもので、何が真実かはさほど重視されません。お互いがつながっていることを確認するための潤滑油のようなものです。議論は本来、対話に近いですが、日本語では「討論」のようなイメージが強いように思います。討論は何が真実かよりも、どちらが説得力ある理屈で相手をねじ伏せられるかという勝負のような側面があります。議論というと少し構えてしまいますよね。そして対話は、真実に向かってお互いに知恵を出し合う共同作業です。

保育は正解が一つに決まらない、またさまざまなオプションがありうる実践です。だとすると、何が正解かを議論するより、さまざまな見方や考え方を出し合って、保育場面を多角的に見取ることができるようになることが大切です。そのため、「対話」が重視されているのです。

Step 5 園内研修での学びを活かそう

得意分野の開発、と聞くと、何か保育にかかわる実技の技術、たとえば、ピアノ、造形表現、絵本の読み聞かせ、手遊びなどが想像されるかもしれません。

しかし、保育とは保育者が出し物をすることではありません（活動によってはそういう局面もありますが）。保育実践そのものに関する得意分野を「開発」するには、まずは自分が興味ある内容について、自分で調べて、自分なりにまとめていくというプロセスが有効でしょう。また、それを人に伝えるには自分の理解度を高めておかなければなりませんから、何度も読んで理解しようとすることになります。

そして、質問を受けたら人は考えます。回答をつくるためには、自分が学んだ内容を振り返らなければなりません。答えられなければまた調べることになります。

こうした研修の時間を同じメンバーで月に１～２回はとることで、半年または１年で、ある分野の専門的な知見について、何本もの文献に触れることになり、ほかの保育者よりくわしくなれます。こうして自分のキャリア成長のよりどころができることが、さらに広く力量形成を行っていくことにつながります。

Case 7

「リーダーの省察」の視点から

リーダーの大切な役割の一つは、子どものよりよい育ちのために、保育者という人材を育てることです。それはリーダーの思い通りの保育者にするのではなく、保育者それぞれが有するその力を安心して存分に発揮しながら学んでいくという状況をつくることです。そしてそれは、特別な職人技ではなく、誰にでも可能な「技術」です。どのような技術を工夫すると保育が育つのか探ってみましょう。

Step 1 「キーワード」を導き出そう

example 「リーダーの省察」というテーマから思いつくキーワードをあげてみよう！

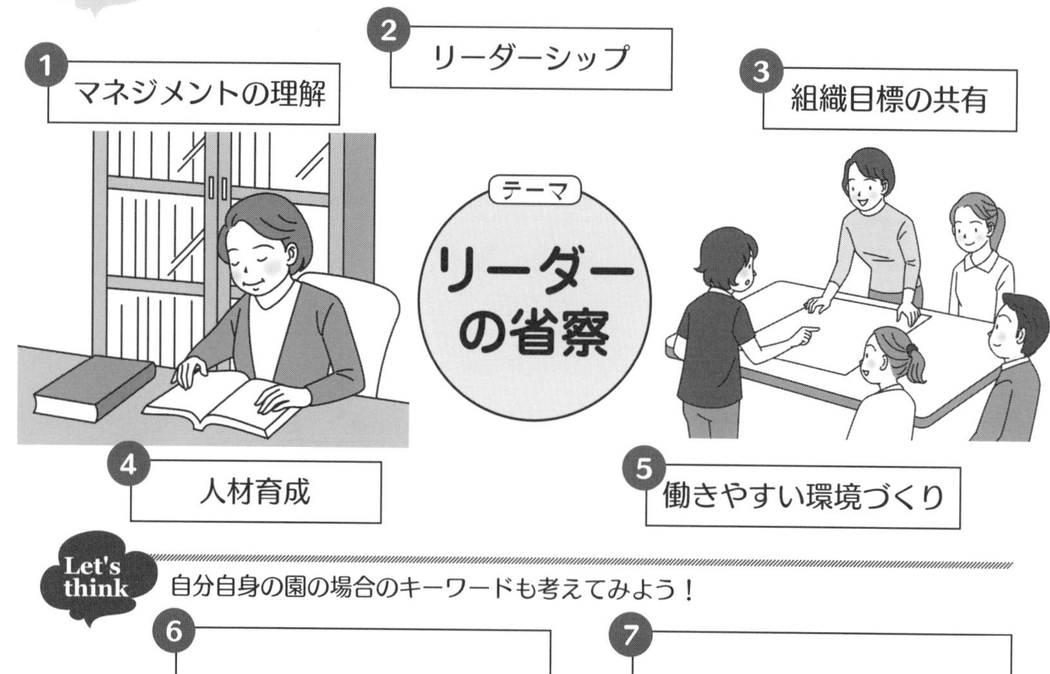

Let's think 自分自身の園の場合のキーワードも考えてみよう！

6

7

Step 2 「現状と目指したい保育の方向性」を確認しよう

example 「キーワード」から自園の現状（園全体・個人）と目指したい保育の方向性についてまとめてみよう！

1 マネジメントの理解

マネジメントが求められているということはわかっているが、そもそもマネジメントとはどういうことなのかが漠然としかわからない。何をどうしていくことがマネジメントなのかについて知りたい。

2 リーダーシップ

リーダーシップを求められるが、組織のメンバーがついてくるようなリーダーの資質・能力が自分にあるか自信がない。自分が引っ張らなければとプレッシャーを感じてしまうが、どんな方法でリーダーシップを発揮したらよいか知りたい。

3 組織目標の共有

組織の目標を明示して、書面や会議などで周知するよう努めているが、保育者を見ていると、園の目標が具体的に実践の中に反映されているとはいえない。組織目標をみんなが本当に理解して実践のよりどころとするにはどうしたらよいだろうか。

4 人材育成

若手保育者をもっと効果的に育てて保育の質の向上につなげたいが、世代や感覚が違う人たちにどのようにかかわればよいかわからない。心が折れたり反発したりしないで前向きに学んで育ってくれる人材育成の技術を身につけたい。

5 働きやすい環境づくり

保育者には園で長く経験を積んで、専門性を向上させて保育の質の向上に寄与してほしいが、残業を減らしたり、事務負担軽減のため ICT を導入したり、親睦会をしても離職者があまり減らない。働きやすい職場とはどんな職場なのだろうか。

Let's think 自分自身の園の場合も考えてみよう！

6

キーワード
現状と目指したい保育の方向性

7

キーワード
現状と目指したい保育の方向性

Step 3 「園内研修テーマ」を考えよう

example 「園の現状」から園内研修テーマ、研修内容を考え、その研修の参考となる資料をまとめてみよう！

	研修テーマの例	研修内容の例	研修の参考となる資料
①	保育の質向上のために活用できる材料や資源に何があるかを探し出す	園のリーダーが集まって、活用すべき資源が何かについて、アイデアを出し合う。	・矢藤誠慈郎『保育の質を高めるチームづくり―園と保育者の成長を支える』わかば社、2017
②	リーダーシップへの期待を探る	リーダーに望む行動を保育者が書き出し、それを整理して、リーダーにリーダーシップの技法を提案する。	・井庭崇、秋田喜代美編『園づくりのことば―保育をつなぐミドルリーダーの秘訣』丸善出版、2019
③	園が目指す目標と価値を共有していく	保育者が見つけてきたさまざまな保育場面の写真を囲んで、子どもの姿に園が掲げる目標のどれがもっともかかわっているか、対話する。	・五十嵐英憲『個人、チーム、組織を伸ばす目標管理の教科書』ダイヤモンド社、2012
④	実習生の育て方を考え合って人材育成のあり方を学ぶ	実習生をどのように育成したら専門性が高まるかについて対話して整理する。	・永井則子『パッと見てわかる・チームで支える新プリセプター読本（改訂２版）』メディカ出版、2013
⑤	働きたくなる職場環境について考え合う	働き続けたくなる園にするには、どのような環境となることが望ましいかについて、アイデアを出し合って整理する。	・田澤里喜、若月芳浩編『採用と育成の好循環を生み出す園長の仕事術―子ども主体の保育を実現するリーダーシップ』中央法規出版、2020

Let's think 自分自身の園の場合も考えてみよう！

	研修テーマの例	研修内容の例	研修の参考となる資料
⑥			
⑦			

園内研修に取り組もう

研修テーマ　働きたくなる職場環境について考え合う

保育者が資質・能力や専門性を高めるためには、経験を豊かに積み重ねていくことが大切な要素の一つです。そのためには保育者が長く勤めることが必要です。

その際、保育者に長く勤めるように命じたり頼んだりすれば長く勤めるようになるでしょうか。たいていの人は自分がどうするかを自分で決めたいものです。だとすると、保育者が自ら「ここで働き続けたい」と思える園になることが求められます。

園が、子どもや保護者あるいは地域社会のために質の高い保育を目指すという使命感を職員と共有し、保育者一人一人が認められ、力を発揮でき、ともに成長していけるような組織となることが、働き続けたい園のもっとも重要な要件だと考えられます。それでは、どうすればそのような組織となっていけるのでしょうか。みんなで知恵を出し合ってみましょう。

用意するもの	ホワイトボードなど、ふせん（75㎜角以上）、筆記用具（マーカー）
研修時間	60 分程度
参加人数の目安	園の参加者全員を３～５人ずつにグルーピングする

手順① 参加者に趣旨と進め方を説明する

リーダーが、保育者が働きやすく働き続けたい職場にするにはどうしたらよいかを考えていくにあたって、知恵を借りたいこと、正解は用意されていないこと、率直なアイデアを多様に出し合うことのほうが大事であることを説明していきます。グループワークの進め方と時間を明示して、メンバーが見通しをもって活動に集中できるよう配慮しましょう。

ここでいう環境には、人的環境（人や組織のあり方）と、物的環境（施設・設備や教材・遊具など）と、処遇（給料や休暇、福利厚生など）など、さまざまな側面があることを手がかりとして投げかけておくようにしましょう。

手順② アイデアを出し合いグループワークをする　20分

園を働き続けやすい職場にするためのアイデアや要望を、ふせんに書いて簡単に説明しながらどんどん出していきましょう。グループ内で順番を決めて出していくのもよいかもしれません。突拍子もないアイデアも含めて、互いに真剣に肯定的に受け止め合うことが大切です。

残り５分くらいになったら、グループの意見をまとめる作業に入りましょう。各グループで発表するポイントは３点にしぼり、優先順位を決めるようにするとよいでしょう。模造紙、フリップ、タブレットやパソコンの映像など、全員が確実に共有できるように準備しましょう。また、発表者を事前に決めておきます。

手順③ 発表する　20分

話し合ってまとめた３つのポイントを、グループごとに、１位から順に発表します。１グループの発表時間は、グループ数にもよりますが、３分程度としましょう。３分と決めたら、３分はしっかり話すようにします。

発表は、手順②で述べたような可視化する形で行うと確実に共有できます。話し合いの過程も簡単に紹介しながら発表すると、グループ同士がお互いに共感や新たな発見を見出すことができてよいでしょう。

発表を参加者にとって意義あるものにするには、発表者だけでなく、聞く側のあり方が大きくかかわります。発表者をしっかり見て、温かい表情で、うなずきながら聞くことで、受容的で共感的な雰囲気が共有され、発表者が話しやすくなります。このことが聞く側の学びにもつながります。

手順④ リーダーがまとめを行う　10分

出された意見を踏まえて、変えていける点と、検討が必要な点と、取り入れることがむずかしい点とその理由などについて簡単にまとめましょう。その際、言い訳や反論はせず、特に聞けてよかった点についてコメントしていくようにしましょう。

それを踏まえて、次の回あるいは職員会議などで改善点などについて明確に示し、意味のある園内研修だったことを確認できるようにしましょう。

自分たちが話し合ったことが、ほんの少しでも実現し、園という組織を一歩進めることにつながることで、園内研修の意味が参加者全員に実感されるようになり、また自分も貢献できたという充実感をもつことにつながり、その後の園内研修への参加度が上がり、学びがより豊かなものになっていきます。

Step 5 園内研修での学びを活かそう

働きやすい、働き続けられる職場にしたいとき、何をしていくべきかを考える際に、効果的な材料を得るもっとも確実な方法は、リーダーが自分の思いで考えるだけでなく、働く職員の思いをくみ取ることです。

リーダーの気持ちを忖度すると、本当に得たい情報が得られないので、率直な意見が出されることが必要なのです。そのためにふせんを用いたワークを行うわけですが、グループで出し合うことにも意味があります。人は、人の意見やアイデアに触発されていいたいことを思いついたり、あるいはさらによいアイデアが浮かぶこともあります。こうしたプロセスの中で、自身でも気づいていなかった潜在的なニーズが掘り起こされたりもします。そして、出された意見を、リーダーが、少しずつ実際の改善につなげることが、職員が園とつながっているという実感につながり、研修の意味も感じられるようになり、リーダーとの信頼関係が構築されます。何でも要望に応じるのではなく、できないことは理由を添えて誠実に説明することで、むしろ信頼につながるはずです。

このプロセスが、リーダーシップの一つの望ましい姿を示していることにも注目していただければと思います。

COLUMN

「謙虚に問いかける」という技術

リーダーシップは、能力や人格に秀でた特別な人がそうでない人たちを引っ張っていくものだというイメージをもたれがちです。しかし、園のそこここで留まることなく展開している保育という実践を、リーダーがすべて把握して指示することは不可能で、むしろ、さまざまな局面でそれぞれのメンバーが自分なりに力を発揮することが大切です。そういう園にしていくためのリーダーシップには、メンバーを活かすことが求められ、そのためにはメンバーをよく知るということが求められます。

知るためには簡単な方法があり、それは「聞く」ということです。態度や表情や言葉で、相手に関心があることを伝え、ありのままを受け入れていることを示し、怖がらせないようにし、期待していることをいわせようとせず、善しあしを判断するのではなく、すぐれたインタビュアーのように問いかけて相手の本当の言葉を引き出すのです。

リーダーがどのように振る舞おうとも、メンバーは上下関係から解放されることはありません。だからこそ、「謙虚な問いかけ」が必要なのです。

参考文献：E.H. シャイン、金井壽宏監訳『問いかける技術―確かな人間関係と優れた組織をつくる―』英治出版、2014

「子どもの遊び」の視点から

ここでは「子どもの遊び」というテーマを中心に据えて、日々の保育実践を思い出し、「子どもの遊び」に関連する自園における現状や課題についての研修テーマを考えていきます。「子どもの遊び」は、毎日の保育の中で随所に見られるものであり、子どもの自発的な遊びと、保育者を起点とした保育展開としての遊びが主に見られます。子どもの育ちを支える遊びは自園ではどのように行われているのかを考えていきましょう。

Step 1 「キーワード」を導き出そう

example 「子どもの遊び」というテーマから思いつくキーワードをあげてみよう！

① 遊びの環境構成（3歳未満児）

② 遊びの環境構成（3歳以上児）

③ 豊かな保育展開

④ 5領域から見る子どもの遊び

⑤ 10の姿から見る子どもの遊び

Let's think 自分自身の園の場合のキーワードも考えてみよう！

⑥

⑦

Step 2 「現状と目指したい保育の方向性」を確認しよう

example 「キーワード」から自園の現状（園全体・個人）と目指したい保育の方向性についてまとめてみよう！

❶ 遊びの環境構成（3歳未満児）

3歳未満児の遊び環境は、年齢に応じた適切なものになっているか自信がもてない。絵本や玩具などの環境や、保育者としての環境は適切かどうか、3歳未満児の子どもが主体的にかかわることのできる遊び環境を考えてみたい。

❷ 遊びの環境構成（3歳以上児）

保育室やコーナー遊びの玩具について適切に構成しているつもりだが充実しているだろうか。子どもが主体となる遊びが展開されているか、保育者同士で考えたい。子ども主体といいながら、「させる」保育になっていないか、保育者の役割を考えたい。

❸ 豊かな保育展開

子どもの生活リズムにつながる食事・排泄・睡眠などの遊び以外の生活が単調な繰り返しになっているような気がしてならない。現状を保育者同士で確認しつつ、一つの遊びから豊かな展開となる保育者のかかわりを考えたい。

❹ 5領域から見る子どもの遊び

保育の基本である「環境を通して行う保育」が実施できているか確信がもてない。人的環境である保育者の考え方や行動の仕方で、子どもの活動が限られていないか、5つの領域すべてにおいて、子どもの主体的な活動が展開されているか検証したい。

❺ 10の姿から見る子どもの遊び

要領・指針等で「幼児期の終わりまでに育ってほしい姿」（10の姿）が示されたが、保育者一人一人の理解ができているか疑問がある。ほかの保育者は遊びの中で10の姿のかかわりをどのようにとらえているか、話し合いを通して、多様なとらえ方を学びたい。

Let's think 自分自身の園の場合も考えてみよう！

❻

キーワード
現状と目指したい保育の方向性

❼

キーワード
現状と目指したい保育の方向性

Step 3 「園内研修テーマ」を考えよう

example 「園の現状」から園内研修テーマ、研修内容を考え、その研修の参考となる資料をまとめてみよう！

	研修テーマの例	研修内容の例	研修の参考となる資料
①	３歳未満児の遊び環境を図解化し、よりよい環境について検討する	保育室での遊び環境について図解化し、紹介し合う活動を行う。一日を過ごす中で、子どもがどのような動線をたどっているかをもとに適切な保育環境について意見交換する。	・自園の環境図 ・自園の保育室見取り図 ・足立区教育委員会就学前教育推進担当監修、伊瀬玲奈編『「あたりまえ」を見直したら保育はもっとよくなる！』学研プラス、2018 ・須永進『乳児保育の理解と展開』同文書院、2019
②	３歳以上児の遊び場面でのよりよい保育者のかかわりについて検討する	遊びの場面の写真などを用いて、保育者同士で意見交換する。どのようにとらえたのかをマップを使って可視化し、保育者の適切なかかわりについて考える。	・自園の保育室見取り図 ・太田光洋編『保育内容総論』同文書院、2019
③	子どもの取り組んでいる遊びを可視化し、豊かな保育展開の可能性について検討する	マップに子どもの遊びとその姿を書き出す。子どもが取り組んでいる遊びを対象に遊びへの取り組みを記録する。その際の保育者のかかわりをマップに記録し、豊かな保育展開について意見交換をする。	・大豆生田啓友編『あそびから学びが生まれる動的環境デザイン』学研教育みらい、2018
④	子どもの遊びと５領域のつながりについて意見交換する	子どもが普段から行っている遊びの例をあげ、子どもの姿をマップに書き込む。その中でどの領域につながると保育者が考えているかの意見交換を行う。	・自園の指導計画 ・自園の全体的な計画 ・太田光洋編『保育内容総論』同文書院、2019
⑤	子どもの遊びのその後の姿について、10の姿を踏まえ、よりよい遊びとは何かを検討する	子どもが普段から行っている遊びの例をあげ、子どもの姿をマップに書き込む。子どもの姿と10の姿とのつながりをどのように保育者が考えているかの意見交換を行う。	・自園の指導計画 ・自園の全体的な計画 ・汐見稔幸他『10の姿で保育の質を高める本』風鳴舎、2019

Let's think 自分自身の園の場合も考えてみよう！

	研修テーマの例	研修内容の例	研修の参考となる資料
⑥			
⑦			

園内研修に取り組もう

研修テーマ　3歳未満児の遊び環境を図解化し、よりよい環境について検討する

園全体にかかわることをテーマとして園内研修に取り組むことは多いと思われますが、各クラスの取り組みを園全体の研修として学びのテーマとすることも、園の保育の質向上には大切なことです。日常からクラスで取り組んでいることを、ほかのクラスの保育者と考えることで遊びの環境をより豊かなものにしていきたいものです。

3歳未満児、特に乳児の場合、一人一人の生活リズムが異なることや、授乳・睡眠・排泄などの養護的観点が強く表れる生活面にかかる時間が多く費やされ、遊びの内容が重視されていないように感じられることもあるでしょう。しかし、乳児や3歳未満児にとっても遊びは重要なものです。その遊び環境をどのように構成するかで、子どもの生活が豊かになるかどうか左右されます。保育者同士でよりよい遊び環境について意見交換をしましょう。

ここでは、まず一日の中で子どもがどこでどのように過ごしているのかを可視化し、保育者が遊びの環境に何が必要だと考えているのかの意見交換をする研修を提案します。

用意するもの	デイリープログラム、保育室の見取り図、人数分の色ペン、ふせん、筆記用具
研修時間	30分程度
参加人数の目安	4～6人

手順① デイリープログラムを確認してみる　5分

午睡時の時間など比較的職員数に余裕のある時間を活用し、非常勤の職員を含む参加可能な保育者が集まり研修を行います。乳児（0歳）の場合は、個人のデイリープログラムを持参します。1～2歳児の場合は、多くの園で作成されている全体的なデイリープログラムを持参します。子どもがどのように一日を過ごしているかデイリープログラムを用いて再度確認をします。確認をするのは

時間	活動内容
～9:00	順次登園、荷物整理、排泄、手洗い、着替え等
9:00～9:30	間食（朝のおやつ）／各自排泄
9:30～9:45	朝の集まり
9:45～10:45	好きな遊び
10:45～11:00	各自排泄、手洗い
11:00～12:00	順次昼食、着替え、排泄
12:00～14:30	順次午睡
14:30～15:00	順次排泄、着替え
15:00～15:30	間食（昼のおやつ）
15:30～16:00	降園準備
16:00～18:00	各自降園／各自、排泄、好きな遊び
18:00～19:00	延長保育

1歳児のデイリープログラムの一例

食事や排泄など主に生活にかかる時間と、豊かな経験となる遊びの時間です。どんなときに、子どもの遊びの時間が確保されているか、保育者同士で再度確認してみましょう。

手順② 子どもが普段行っている遊びをふせんに記録する 5分

そもそも子どもが日常の中で遊んでいるのは主にどんな遊びでしょうか。ふせんに書き出してみましょう。その場合、ふせんには「文章」ではなく「キーワード」(絵本、積み木など)で書くようにするとよいでしょう。文章だと書くことに躊躇しやすいのですが、キーワードだと“気がるに”書け時間もかかりません。クラスの子どもの普段の様子を思い浮かべながら、思いつくままにふせんに書いてみましょう。

手順③ 保育室の見取り図を活用し、ふせんを貼ってみる

まず、デイリープログラムを活用しながら、保育室の見取り図に一日の子どもの動線をペンで書き込んでみましょう。朝、登園して、まずはおむつ交換や排泄など……、デイリープログラムに沿った形で一日の動きを考えてみましょう。ペンは一筆書きのように見取り図に触れたままなぞると一見して動きが見て取れます。

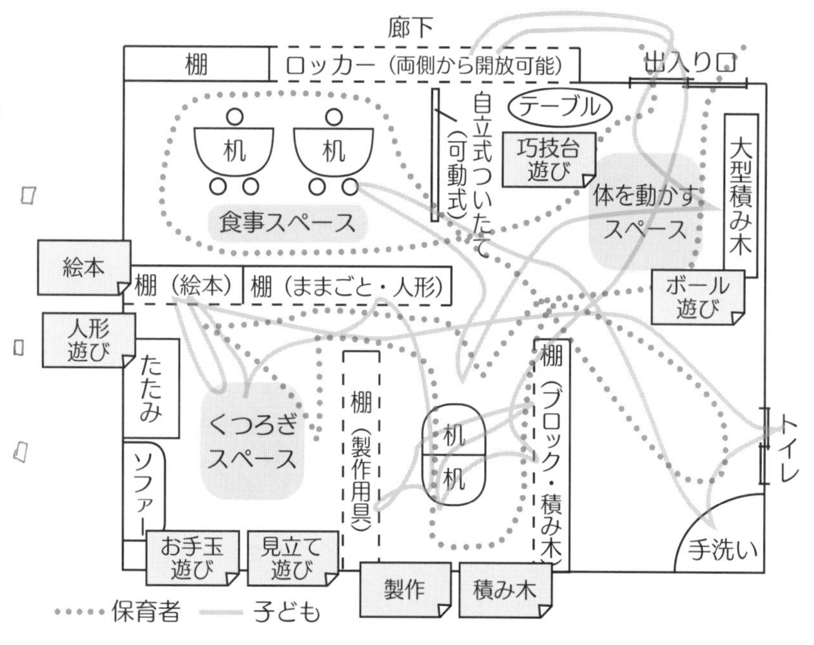

1歳児の保育室の見取り図
(子どもと保育者の動線に遊びのふせんを貼ったもの)

保育室では、一日の中で多く過ごす場所があると思われます。その場所はどのような場所でしょうか。室内で遊ぶときはどの空間を活用することが多いでしょうか。保育室の見取り図のどこで遊ぶことが多いのかを考えながら、参加者がそれぞれ書いた「遊び」のふせんを貼りつけていきましょう。

手順④ どのような遊び環境が必要かを話し合う 15分

子どもの一日の動線を見て、まずは保育室の環境についての気づきを話し合ってみましょう。安全面や衛生面での気づきや遊びの環境としてどのようなことが整えられているか、これから整えたいことは何かなど、参加者それぞれの気づきを話しましょう。また、興味をもった遊びをどのように広げていったらよいか、アイデアを出してみましょう。

Step 5 園内研修での学びを活かそう

デイリープログラムが、一人一人の子どもの発達に沿っているのかを確認することで、食事や排泄などの養護的観点を中心とする時間以外の遊びの時間が、一日のうちどのくらいあるのかを可視化することができます。その時間は適切か、子どもたちの豊かな学びの時間を保障しているかを保育者全員で確認をすることができるでしょう。また、その確認により遊びの時間を見直し豊かにすることができます。子どもの一日の過ごし方を動線にして可視化することで、保育室の安全面に考慮した環境構成ができるだけではなく、主にどのような空間があるか、子どもたちが遊ぶ空間が十分に確保されているかなど、再構成を試みましょう。また、遊びの内容が書かれたふせんを貼ることで、遊びの提案が適切かどうか、さまざまな遊びに発展できるようにしているかを保育者が考えることができます。

乳児や３歳未満児にとって、毎日を穏やかに安心して過ごすことが一番に考えられています。そのような中で遊びが豊かに展開できているかどうか、必要な玩具や空間的環境を保育者が取り入れられているかどうか、保育者の遊びに関しての考察が深まるでしょう。

COLUMN

子どもの「やってみたい」気持ちに寄り添う

子どもはそれぞれ「こんなことしてみたい」「あっちに行ってみたい」と興味・関心を示し、好奇心をもって活動します。園にある玩具や遊具は子どもの好奇心を刺激する環境の一つだと思いますが、あるものだけでよいとなると遊びの広がりが限られるだけでなく、玩具を介しての保育者とのやりとりも変化をしにくくなり、一つのパターンだけになることがあります。保育者が玩具を使った遊びの方法を「これにはこの遊び方」と決めつけていると、それ以外の活用を試したい気持ちを子どもがもった場合は「これはそうじゃないよ」などと、子どものやりたい気持ちを否定することにつながりかねません。

子どもの気持ちに寄り添ってみると、いろいろな「やってみたい」に出会います。たとえば、絵本は絵本コーナーで読むものと思っている保育者と、「テラスで読んでみたい」と思っている子どもの気持ちがすれ違うこともあります。どんな絵本かのぞいてみると、「確かに外の開放感の中で読むと楽しそうだね」と思うことができるかもしれません。

子どもにとっては身のまわりのことが遊びへとつながり、身近な素材が大切な玩具になります。子どもの発達に合っていて、さらに子どもの今の育ちの中で興味をもっていると感じるものがあれば、手づくり玩具もよし、自然物もよしです。遊びに取り組む子どもの伸び伸びとした姿を支えましょう。

Case 9

「保護者との連携」の視点から

保護者との連携は、日常の保育の質の向上につながり、何より子どもの育ちや学びを豊かに保障していく上で欠くことのできない取り組みとなります。一方で、多様化する保護者の価値観や就労の実態を背景に、各施設によって行われる保育に対する保護者の理解を得にくい状況があるのも事実です。ここでは、「保護者との連携」という視点から主に子育て支援につながる園内研修のテーマを考えてみましょう。

Step 1 「キーワード」を導き出そう

example 「保護者との連携」というテーマから思いつくキーワードをあげてみよう！

テーマ：保護者との連携

1. 日々のコミュニケーションの充実
2. 連絡帳の活用
3. 個人記録の活用
4. 保育への参加
5. 関係機関との連携

Let's think 自分自身の園の場合のキーワードも考えてみよう！

6.
7.

Step 2 「現状と目指したい保育の方向性」を確認しよう

example 「キーワード」から自園の現状（園全体・個人）と目指したい保育の方向性についてまとめてみよう！

1 日々のコミュニケーションの充実

保育者のちょっとした一言が保護者に誤解を与えたり、保護者からのクレームにつながる場合がある。保護者との信頼関係を育むコミュニケーションのあり方について、職員間で考え、具体的なコミュニケーションスキルを身につけたい。

2 連絡帳の活用

連絡帳の内容が「〜していました」「〜でした」など、表面的な記述でおわりがちになっている。子どもの育ちや学びの実際を具体的に伝えられる工夫をし、保護者と気持ちを共有し、子どもの理解を深めていくために活用できるものとしたい。

3 個人記録の活用

日々の個人記録が保育の質の向上のためというよりは、監査対応のための書類になっている。担当保育者の業務負担増大につながらないようにとの配慮も必要であるが、何より保護者との対話を紡ぎ出すきっかけを生み出す機能をもたせたい。

4 保育への参加

保護者の園生活場面への参加や参観は子どもや保育者にとっても重要だとわかってはいるが、常に保護者に見られる不安を口にする職員も多い。保護者参観など、日常の保育を多くの保護者と共有できる機会や場のもち方について検討したい。

5 関係機関との連携

配慮を要する子どもが入園してくる中で、一人の保育者にあれもこれもと高い専門性を求め過ぎていることはないか。むしろ地域におけるさまざまな資源の実態を把握し、その専門家らと協働しながらチームとして働く姿を重視していきたい。

Let's think 自分自身の園の場合も考えてみよう！

6

キーワード
現状と目指したい保育の方向性

7

キーワード
現状と目指したい保育の方向性

Step 3 「園内研修テーマ」を考えよう

example 「園の現状」から園内研修テーマ、研修内容を考え、その研修の参考となる資料をまとめてみよう！

	研修テーマの例	研修内容の例	研修の参考となる資料
①	日常的な保護者との言葉のやりとりについての事例検討をする	保護者との言葉によるやりとりにおいて生まれた好事例・失敗事例について紹介し合う。ロールプレイにより、その強化・改善に向けた話し方を検討する。	・亀﨑美沙子『保育の専門性を生かした子育て支援―「子どもの最善の利益」をめざして』わかば社、2018 ・厚生労働省編『「保育をもっと楽しく」保育所における自己評価ガイドラインハンドブック』厚生労働省、2020
②	お互いの連絡帳の記載内容の特徴について共有する	お互いの連絡帳の記載内容を開示し書き方の特徴を共有し、実際の文面を「子どもの姿を肯定的にとらえる」「状況がより具体的に伝わるように書く」を意識しながら書き換えてみる。	・細井香編『保育の未来をひらく子育て・家庭支援論（改訂版）』北樹出版、2018
③	個人記録の書き方のポイントを共有する	保護者がより関心をもって読みたくなる内容にするための視点（書き方のポイント）を共有し、保護者との対話のきっかけづくりを検討する。	・文部科学省『幼児理解に基づいた評価』チャイルド本社、2019 ・丸亀ひまわり保育園、松井剛太『子どもの育ちを保護者とともに喜び合う』ひとなる書房、2018
④	保護者の保育参加のあり方について検討する	子育ち・親育ちの機会としての保育参加（保育参観）のあり方について検討する。	・親心を育む会編『一日保育士体験のすすめ―保育園で育む親心』大修館書店、2012
⑤	自園における関係機関のマップを作成する	自園が所在する地域にはどのような専門機関や専門家が存在するのか、関係機関の所在地や連絡先などを一覧できるマップを作成する。	・秋田喜代美、馬場耕一郎監修、矢萩恭子編『保育士等キャリアアップ研修テキスト6「保護者支援・子育て支援」第2版』中央法規出版、2020

Let's think 自分自身の園の場合も考えてみよう！

	研修テーマの例	研修内容の例	研修の参考となる資料
⑥			
⑦			

園内研修に取り組もう

研修テーマ　お互いの連絡帳の記載内容の特徴について共有する

園内研修は、まとまった時間がなければできないというものではありません。また、職員全員が集まらなければできないというものでもありません。誰でも、時間をかけることなく“気がるに”準備ができる園内研修の素材となるものがあります。それが、とりわけ3歳未満児を中心に毎日のように作成され、保護者との情報共有のために使用されている「連絡帳」です。

しかしながら、日々作成される連絡帳の内容が「今日○○くんは～していました」「今日○○さんは～でした」など、事実のみの記載におわり、本来、保護者や同僚と共有すべき子どもの“今”をとらえた育ちや学びが記録・発信されていない場合があります。中には絵文字が多用されるなど、保育の専門家が作成する子どもの育ちや学びの記録としてふさわしいか疑問が残るものもあります。

ここでは、担当の保育者間において連絡帳の記載内容を開示し、書き方の特徴を共有しながら、保護者に宛てて子どもの姿や成長の様子を肯定的かつ具体的に伝えていくための書き方と、保護者とともに子どもへの愛情や成長を喜ぶ気持ちを共有しつつ、子どもの理解を深めていくための研修例を紹介します。

用意するもの	担当児の連絡帳、ふせん（75㎜角以上）、筆記用具
研修時間	15分程度
参加人数の目安	2～3人

手順①　記入をおえた担当児の連絡帳を用意する　3分

午睡の時間などを利用し、参加可能な保育者で集まります。連絡帳を相互に回覧し、記載された内容について情報を共有します。記載された内容について、もう少し具体的に知りたいことや確認したいことを問いかけ合いながらより具体的に内容の共有を図っていきます。

手順② 記述の視点を意識しながらお互いの文章を書き換える 7分

ここでは3人（A保育者、B保育者、C保育者）参加の場合を例に説明します。

「園生活での状況が具体的にわかるような文章」「明るく温かさが伝わる肯定的な文章」の2つの視点を意識しながら書き換えにチャレンジします。

A保育者は、B保育者とC保育者の分を、B保育者はA保育者とC保育者の分を、そしてC保育者はA保育者とB保育者の文章をふせんに書き換えるワークを行います。一枚のふせんに一人分の書き換えた文章内容を記入します。

例1）次の文章を「園生活での状況が具体的にわかるような文章」で書き換えてみましょう（「3歳児A児のエピソード」）。

> 今日、Aちゃんは楽しそうな表情で友達と一緒に折り紙をして遊んでいました。

↓

> Aちゃん、今日は最近仲よしになったBちゃんと一緒に折り紙遊びに夢中になって取り組んでいました。「これ、お花！　パパにあげるプレゼント！」といって自慢げに私たちにも見せてくれました。BちゃんやCくんとの会話も弾んでいます。言葉による表現力も随分と豊かになってきましたね。

例2）次の文章を「明るく温かさが伝わる肯定的な文章」で書き換えてみましょう（「2歳児D児のエピソード」）。

> Dくん、なかなか園生活にとけ込めないようですね……。今日も一日中ずっと泣いてばかりいました。食事のときもおやつのときも少ししか食べませんでした。

↓

> Dくん、今日は園庭にある砂場で砂遊びをしました。ときどき泣きやんでは、近くで遊んでいる友達の様子をじっと見ていました。食事もまだ食べる気にはなれなかったようです。お母さんと離れて泣くのは、お母さんとの信頼関係がしっかりできている証拠です。私たちも、お母さんに負けないように「先生大好き！」といってもらえるようにがんばります！

連絡帳の書き換えの一例

手順③ 書き換えた内容を共有する 5分

書き換えた内容を読み上げながら本人と共有します。読み上げたふせんは、本人に手渡します。同僚から手渡された内容を踏まえながら、気づいたことや感じたことなどについて参加者間で対話する時間をとります。

このような小さな取り組みを日々積み重ねていくことで、翌日の連絡帳の記載内容の充実を図りつつ、保護者との連携を深めていくための取り組みとして連絡帳を活用していくのです。

Step 5 園内研修での学びを活かそう

連絡帳を書く上で大切なのは、一人一人の子どもを深く理解しようとする保育者の専門職としての視点です。ただ漫然と子どものことを見ているだけでは、表面的な子どもの把握に留まり、子どもの理解には遠く及びません。何より、子どもの園生活に関するさまざまな情報を保護者といかに共有していくか、そのマインドとスキルが求められます。

保育者にとっても保護者にとっても意味ある記録として連絡帳を位置づけるならば、やはり保護者が関心をもって読みたくなるような、また、家庭での子どもの様子を知らせたくなるような内容にしていく必要があります。こうした往還性を生み出すための工夫として、①具体的にわかりやすい言葉で書く、②事実と考察を分けて書く、③保護者と共有したい子どもの姿や言動をくわしく書く、④専門職としての言葉（たとえば、乳児期の３つの視点、５領域を意識した視点、３つの資質・能力を意識した視点、幼児期の終わりまでに育ってほしい10の姿を意識した視点）などを盛り込みながら書く、⑤一連の生活や活動から子どもの育ちや学びの軌跡がわかるように書くの５つがあげられます。

実はこの視点、連絡帳の作成だけではなく、日常の保育実践を撮影した写真などを活用したドキュメンテーション作成にも大いに参考になる視点です。④や⑤については、むしろ写真などによる映像記録を残し、若干の解説文などを挿入することで、保護者にもより説得力のある発信媒体となります。こうした地道な取り組みを通して保護者との連携を図りつつ、信頼関係を育み続けていくことが何より日常の保育の質向上につながり、ひいては子どもの最善の利益を保障していく取り組みとなります。

COLUMN

実習生にも「連絡帳」記入のチャンスを！

日常の保育業務の中で、とりわけ新任保育者の悩みの一つが連絡帳への記録だといわれています。とはいえ、時間の経過とともに子どもの理解が深まり、経験の積み重ねとともに記述する文章の内容も充実したものとなっていきます。一方、ベテラン保育者とはいえ、自分が書いた文章のせいで思ってもみなかった保護者からの反応が返ってきて、一喜一憂する場合もあるのではないでしょうか。こうした保護者との連携を具現化していくコミュニケーションツール（対話を促す道具）としての働きもある連絡帳ですから、本来であればその記録のあり方について、就職前にある程度の訓練をしておく必要があります。にもかかわらず、実習生のうちに連絡帳を書くということは、多くの実習園では“あり得ないこと”として考えられているのではないでしょうか。

さて、次のような取り組みをしている園があります。普段から園運営に協力的な保護者数名にお願いをして、実習期間中、数日だけ、実習生が連絡帳に記入する体験をさせていただくというものです。もちろん、連絡帳に直接記入するのではなく、75㎜角程度のふせんに記入したものを、担任保育者の記載欄の近くに貼りつけさせていただくという取り組みです。加えて、未記入のふせんをもう１枚添付させていただき、保護者に返信をお願いするという取り組みです。

返信をもらうことのできた実習生の喜びや保育者になることへの実感がいかほどのものになるのか、想像に難くないと思われます。保護者との連携という視点からとらえた連絡帳への記録をめぐる実習指導のあり方も、抜本的に見直す時期にきているのではないでしょうか。

Case 10

「行事」の視点から

ここでは「行事」を中心に、日々の保育を振り返り、「行事」に関する自園の現状や課題についての研修テーマを考えていきます。いくつもある年間行事に時間と労力をとられ、日々の保育が行事中心に動いている、というような状況になっていませんか。行事への取り組み方や比重は園によって異なります。業務改善という視点で、自園の行事のあり方を見直してみましょう。

Step 1 「キーワード」を導き出そう

example 「行事」というテーマから思いつくキーワードをあげてみよう！

① 自園の保育の理解

② 子どもの育ち

③ 同僚性を高める

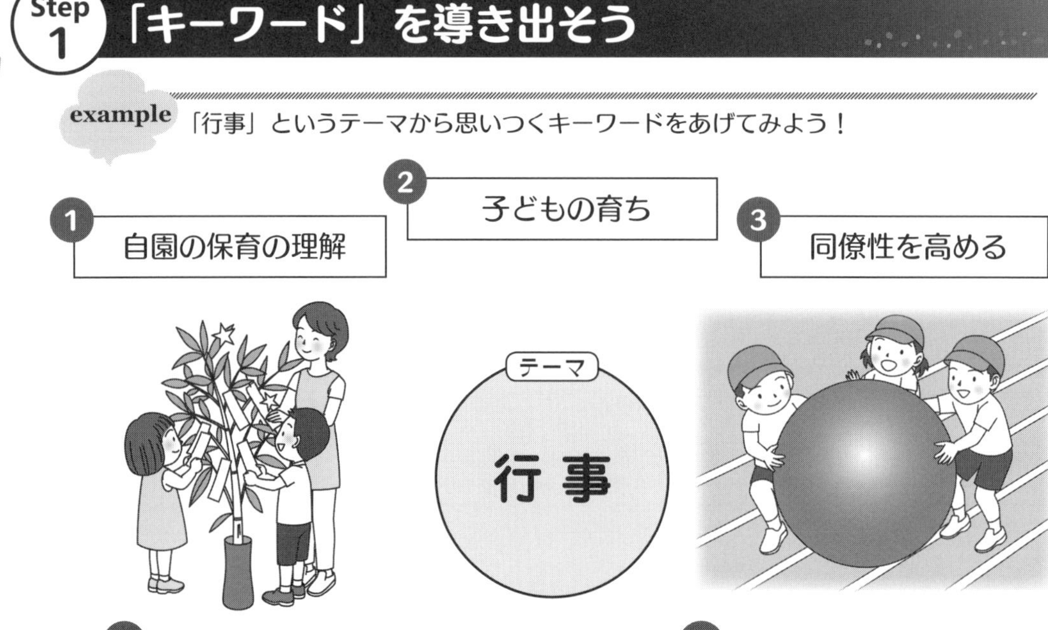

④ 行事の知識と理解

⑤ 地域社会との関係

Let's think 自分自身の園の場合のキーワードも考えてみよう！

⑥

⑦

Step 2 「現状と目指したい保育の方向性」を確認しよう

example 「キーワード」から自園の現状（園全体・個人）と目指したい保育の方向性についてまとめてみよう！

1 自園の保育の理解

年間行事が多くなり過ぎ、職員や子どもの負担になっている。しかし、園にとっては受け継がれてきた大切な文化。そこで、園の教育・保育理念や要領・指針等を踏まえ、職員間の共通理解を図り行事の目的と内容や実施方法を考え直したい。

2 子どもの育ち

行事を通して子どもたちの自立心や協同性が育まれている面もあるが、出来栄えや結果を重視する傾向にあり、子ども主体の行事にはなっていない。子どもたちが自主的・主体的に取り組めるように行事のあり方を検討したい。

3 同僚性を高める

行事の主担当者の負担が大きくなっている。日々の保育と行事が無理なく行われ職員が参画的に行事に取り組む仕組みを考えたい。日ごろから“気がるに”相談できフォローし合えるような環境を整え、積極的にコミュニケーションがとれる環境をつくりたい。

4 行事の知識と理解

伝統的な年中行事の正しい知識や内容の理解ができていない若い職員も多く、行事に関連した歌や製作を行うだけの場合もある。行事一つ一つの意味を理解し子どもに伝えることができるようにしたい。

5 地域社会との関係

地域の伝統行事や文化に触れたり、園行事で地域の人との交流の機会を増やしたいがなかなかできていない。このような地域との交流や学びの場を積極的に広げたい。また、近隣への騒音対応や園行事への協力体制など保育への理解を深める場としたい。

Let's think 自分自身の園の場合も考えてみよう！

6

キーワード
現状と目指したい保育の方向性

7

キーワード
現状と目指したい保育の方向性

Step 3 「園内研修テーマ」を考えよう

example 「園の現状」から園内研修テーマ、研修内容を考え、その研修の参考となる資料をまとめてみよう！

	研修テーマの例	研修内容の例	研修の参考となる資料
①	年間行事を見直す	年次計画を立てる際に、年間行事を全職員で見直す。惰性でやる行事ではなく、よさと問題点をふせんを使って意見交換する。	・厚生労働省「子どもを中心に保育の実践を考える」2019 ・無藤隆、大豆生田啓友編『子どもの姿ベースの新しい指導計画の考え方』フレーベル館、2019
②	5歳児クラスが企画と運営に参画するお誕生会について意見交換する	5歳児クラスが中心になって、お誕生会を企画運営する方法について、ふせんを使って意見交換する。	・千葉市「千葉市こどもの参画ガイドライン本編」2011
③	職員の趣味と特技を活かした行事づくりについて検討する	職員みんなの特技や趣味、身につけているスキルなどの情報を「人材マップ」としてまとめてみる。	・株式会社イノーピア、SKILL NOTE HP「スキルマップの作成方法」
④	行事の正確な意味を学ぶ	5色の短冊の“5色とは？”など、唱歌「たなばたさま」の歌詞を掘り下げ、七夕について理解を深める。	・三浦康子『子どもに伝えたい 春夏秋冬 和の行事を楽しむ絵本』永岡書店、2014 ・さとうひろみ『大切にしたい、にっぽんの暮らし。』サンクチュアリ出版、2013
⑤	行事を通した地域とのコミュニケーションについて考える	地域の保育資源（自然、人材、行事、施設など）マップを作成する。	・帝国書院 HP「手作り地図をつくってみよう」 ・山下柚実『五感生活術—眠った「私」を呼び覚ます』文藝春秋、2002

Let's think 自分自身の園の場合も考えてみよう！

	研修テーマの例	研修内容の例	研修の参考となる資料
⑥			
⑦			

園内研修に取り組もう

研修テーマ　職員の趣味と特技を活かした行事づくりについて検討する

行事を行うときに欠かせないのが、保育者の“センス”です。子どもたちの感性や表現する力を豊かにしていくためにも、日ごろの生活や遊び全般を通して、保育者自身が感性豊かにかかわることが重要です。一人一人の感性が組み合わされることで、思いがけない化学反応が引き起こされ、従来とはひと味違った新しい行事の形が生み出されます。そのためにも保育者自身の趣味や特技を活かすことで、きらりと光る“センス”を発揮できる場をつくり、年齢や経験年数の枠を超えて、一人一人のもっている個性を引き出し、職員間のコミュニケーションを促進し、創造的に行事をつくっていきましょう。そこで、職員や子どもたちが負担と感じず、趣味と特技を活かし楽しく参画的に行事に取り組むためのプロジェクトチームづくりを目的とした研修例を紹介します。

用意するもの	ふせん、模造紙、筆記用具（マーカー）、のり
研修時間	60 分程度
参加人数の目安	全職員から情報を集め、6 人程度で行う

手順① みんなの経験知・情報（知識）・スキルを引き出す　30分

「趣味と特技を活かした行事づくり」は、職員全員のプロフィールを出し合うことからはじめます。これまで担当したことのある行事、趣味、高校のときの部活、職歴やアルバイト歴、園外研修歴、もっている資格、旅行で行った場所などの情報を、事前に 1 枚のふせんに1つ、1 人 10 枚以上書き、模造紙に貼って整理します。研修に参加できない人からは、あらかじめふせんに書いてもらい使用します。どんな情報が、どの行事に役立つかわかりませんので、なるべく幅広い情報を書くよう心がけましょう。園の近くの小川にメダカがいた、といったローカル情報も書くといいですね。ふせんに書いて出し合ううちに、話が横道にそれていきますが、それこそ頭の中にある情報が引き出されている証拠です。ひらめいたこと思い出したこともどんどんふせんに書いて貼っていきましょう。そして「〇〇園人材マップ」としてまとめます。

手順② 役割分担「専門チーフ」を決める　20分

音楽のことだったら〇〇先生、演劇のことは宝塚ファンの〇〇先生、デザインのことはもと美術部の〇〇先生、自然のことならアウトドア大好き〇〇先生、園の近隣ローカル情報なら〇〇先生にといった具合に「人材マップ」をもとに、一人一人の得意なこと、好きなことを活かした担当を決めていきます。自分の趣味や特技を活かし、楽しく日々の保育や行事に役立つ情報の収集と整理を行うことが役目です。仕事というよりは、趣味の延長線といった感じで気楽にやりましょう。一人一人の経験知を活かすこの役割分担のことを、ここでは「専門チーフ」と呼ぶこととします。音楽・美術・絵本・スポーツ・ローカル・食などジャンル分けは、園ごとに楽しく行ってください。研修としては、この手順②でおわりです。

手順③ ふせんでデータバンクをつくる（ふせんノート）　10分

自分が担当する分野が決まると、不思議なことに人は頭の片隅で常にその担当のことが気にかかるようになり、日常生活の中でたくさんの情報に気づくようになります。また、それぞれの担当が決まることで、ほかの職員からの情報も集まりやすくなります。

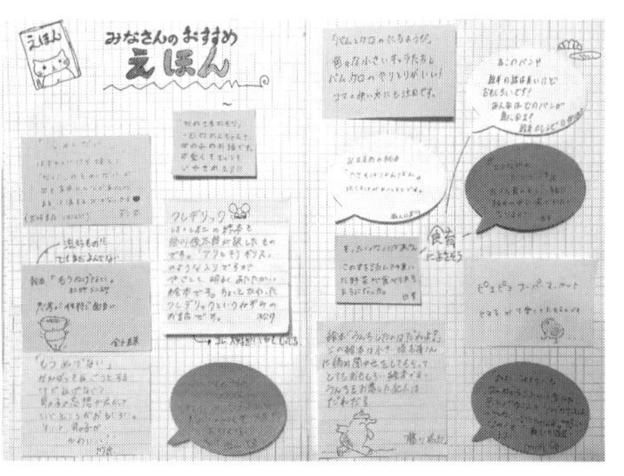

ふと聞いた音楽、散歩の途中で見つけたお店、雑貨屋で見つけた小物などの情報が、日ごろの保育や行事に意外と役立つものです。見つけた情報は、ふせんに書いて各専門チーフに渡しましょう。もらったふせんと自分で書いたふせんをノートに貼り、データバンクとして整理し行事を企画する際に役立てています。情報は、保護者や地域の人からも集めるとさらによいでしょう。

Step 5 園内研修での学びを活かそう

今年の「七夕の会」担当になったＡ保育者（プロジェクトリーダー）が、どのように専門チーフと協力しながら行事をつくっていったのか、企画段階をちょっと見てみましょう。

①前年度の七夕担当者から、概要を引き継ぐ。5歳児の子どもたちにも、意見を聞く。

②各専門チーフから、七夕に使えそうな情報をふせんに書いてもらう。

③前年度の改善点、みんなからもらったふせんをもとに企画立案する。どんな「七夕の会」をどんなメンバーでつくっていきたいのか、主任と相談する。

④「七夕の会」プロジェクトチームを結成し、音楽チーフ、絵本チーフ、ローカルチーフ、製作チーフが参画することに決定する。

⑤各専門チーフから集めたふせん、クラス担任からもらったクラスの現状が書かれたふせん、チームメンバーのふせんノートにある情報を使い、主任とも相談しながらプロジェクトチームで企画図解ポスターを完成させる。

⑥今年の「七夕の会」の企画図解ポスターを、職員室に掲示し職員に伝える。

⑦七夕の会当日に向け、プロジェクトリーダーは各クラス担任と打ち合わせ、各専門チーフは音楽や絵本、笹竹や製作などの準備に入る。

企画段階でのポイントは、専門チーフが日ごろからつくっているふせんノートの活用にあります。行事のためにバタバタと慌てて準備するのではなく、日ごろから情報を集め楽しく企画していきましょう。

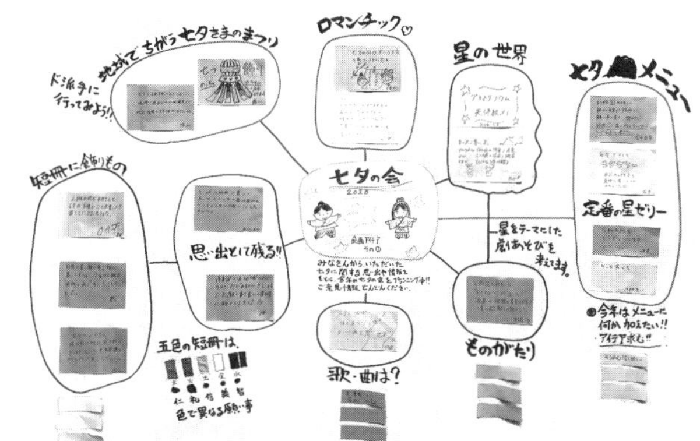

企画図解ポスター

COLUMN

移ろいゆく季節の中で育む感性

通過儀礼としての行事、五節句などの伝統行事、子どもたちの活動の成果や成長を披露する行事、季節ごとの体験や活動の幅を広げるための行事、感謝の心を育む行事、園ならではの行事などさまざまな行事があります。年中行事は、毎年やってくる単なるイベントではありません。それぞれの行事には深い意味があり、そこには先人の思いや知恵が込められています。行事を通して、季節の移ろいを感じとること、毎年同じ時期に同じような経験を積み重ねること、思い出を共有することなどを通して、子どもたちは自分を取り巻く地域の自然や伝統文化に興味をもち、感性を豊かにしていきます。今一度、年中行事の価値を見つめ直し、保育現場で継承していくことの大切さと意味を考えてみましょう。

「ICT の活用」の視点から

私たちの生活は、「ICT」（情報通信技術：Information and Communication Technology）に支えられています。保育の現場では、ICT の活用としてコンピュータやタブレット、スマートフォン（スマホ）など情報機器類、さまざまなアプリケーション（アプリ）などのソフトウエア、デジタルカメラ（デジカメ）の活用や保護者の送迎時や職員の出退勤時に IC カードやデジタル機器等を活用する機会が増えてきています。そこで日々の保育実践や園運営にどのように ICT を活用すればよいか、業務改善に役立つのかという現状や課題についての研修テーマを考えていきます。

Step 1 「キーワード」を導き出そう

example 「ICT の活用」というテーマから思いつくキーワードをあげてみよう！

1 デジタル機器の活用

2 記録・ドキュメンテーション

3 お便り・連絡帳

テーマ

ICT の活用

4 web の活用

5 壁面構成等

Let's think 自分自身の園の場合のキーワードも考えてみよう！

6

7

Step 2 「現状と目指したい保育の方向性」を確認しよう

example 「キーワード」から自園の現状（園全体・個人）と目指したい保育の方向性についてまとめてみよう！

1 デジタル機器の活用

園にデジカメはあるけど、あまり活用されていない。コンピュータに指導計画や記録のために新しいソフトが導入されたけど、使いこなせていない。もっと職員間の連絡事項や情報共有をスムーズにしたいが、どのように工夫したらよいか考えたい。

2 記録・ドキュメンテーション

毎日、手書きで記録を書いているけれど、コンピュータを使えばもっと情報を整理できるのではと思うが活用できていない。デジカメの写真を使用したドキュメンテーションなど、コンピュータを活用したいろいろな方法を工夫したい。

3 お便り・連絡帳

もっと保護者に伝わりやすくするため、手書きだけではなく、ほかの工夫も試みたがうまくいかない。コンピュータを使い、効率的に仕事を進めることができないか、また、それらを活用する知恵や工夫についてみんなで考えてみたい。

4 web の活用

園のホームページはあるが、必要最小限の情報提供で留まっている。今月の保育で大事にしていることや、保護者へのお知らせをホームページでも閲覧できれば、保護者にとっても便利かもしれない。保護者懇談会に参加しにくい保護者もいるので、オンラインによるビデオ会議ツールや YouTube などで配信するなどの工夫を試みたい。

5 壁面構成等

自園では壁面構成を毎月大事にしているが、効率よくできる方法が見出せない。保育者がつくる壁面ではなく、もっと子どもたちの日々の姿や様子が伝わる壁面構成はどうすればよいか、ICT を活用したさまざまな工夫を考えてみたい。

Let's think 自分自身の園の場合も考えてみよう！

6

キーワード
現状と目指したい保育の方向性

7

キーワード
現状と目指したい保育の方向性

Step 3 「園内研修テーマ」を考えよう

example 「園の現状」から園内研修テーマ、研修内容を考え、その研修の参考となる資料をまとめてみよう！

	研修テーマの例	研修内容の例	研修の参考となる資料
①	園のICT環境の現状と課題を整理する	デジカメ、コンピュータ、タブレット型端末など園内のICT環境に何があるかを洗い出し、現状と課題について職員間で意見交換しながら整理する。	・神戸大学「ICTや先端技術の活用などを通じた幼児教育の充実の在り方に関する調査研究」（文部科学省令和元年度委託研究）
②	記録、ドキュメンテーションにICTをどのように活用できるか考える	これまでの記録やドキュメンテーションの課題や悩み、思いについて職員間で意見交換してみよう。そして、ICT活用の視点からできそうなことを考えてみる。	・北野幸子監修『子どもと保育者でつくる育ちの記録：あそびの中の育ちを可視化する』日本標準、2020 ・浅井拓久也編『活動の見える化で保育力アップ！　ドキュメンテーションの作り方＆活用術』明治図書出版、2019
③	お便り、連絡帳の書き方について検討する	保護者に伝わる「お便り」「連絡帳」の書き方について、職員間で調べ意見交換する。	・寺田清美『保育者の伝える力』メイト、2016 ※お便り、連絡帳の書き方についての本は多数出版されています。
④	webの活用方法について職員間で考える	より積極的なwebの活用方法について、職員間で知恵を出し合う。オンラインによるビデオ会議ツールなどについて自分たちで試してみる。	・インターネットでいろいろな園のwebサイトを検索する。 ※「保育　コンセプト」というキーワードで検索すると、何を大事にしている園なのかがよくわかる園が上位にあがってきます。
⑤	壁面構成について考えてみる	壁面構成を子どもにとっての意味や業務の省力化の視点から考えてみる。	・アトリエ〇〇『子どもと飾る保育室アート春夏秋冬』小学館、2019（Kindle版）※壁面についてのイラスト集のような本は多数出版されています。

Let's think 自分自身の園の場合も考えてみよう！

	研修テーマの例	研修内容の例	研修の参考となる資料
⑥			
⑦			

Step 4 園内研修に取り組もう

研修テーマ 園のICT環境の現状と課題を整理する

園のICT環境（デジカメ、コンピュータ、タブレット型端末や指導計画や記録のソフトなど）には、どのようなものがあるでしょうか？　それらICT環境を活用して、業務を少しでも改善していくためには、どのように考えていけばよいでしょうか。デジカメをもっと活用したい、コンピュータに指導計画や記録のためにソフトが導入されているけれど、もっと職員間で共通理解を図っていきたいといった課題もあると思います。

そこで、「KPT法」というビジネスで使われる手法を使ってみましょう。これは何らかの取り組みに対して、「Keep（キープ）」（このままの取り組みでよいこと、続けていきたいこと、大事にし続けたいこと）、「Problem（プロブレム）」（課題や問題点、うまくいっていないこと）について振り返って、次の改善点として「Try（トライ）」（改善策、やってみたいこと、もっとやったほうがよいこと）を考えていくことです。今回は「何のために（目的・意図）」というMission（ミッション）欄を加えて、自園のICT環境の活用についての現状と課題を整理していくような園内研修を実施してみましょう。

用意するもの	模造紙、筆記用具（ペン類）、ふせん（正方形のハーフサイズ）を４色
研修時間	60分程度
参加人数の目安	４～６人（人数が多い場合は、２～３グループに分ける）

手順① 模造紙を準備する　4分

模造紙に右図のように線を引いて４つのゾーンに分けます。そして、「Mission／Keep／Problem／Try」という文字を書いておきます。

Mission（何のために／目的や意図）	Keep（このままの取り組みでよいこと、続けていきたいこと、大事にし続けたいこと）
Problem（課題や問題点、うまくいっていないこと）	Try(改善策、やってみたいこと、もっとやったほうがよいこと)

手順② Mission（何のために／目的や意図）の共通理解を図る 13分

３分程度で、園のICT環境の「Mission」（何のために機器類やソフトを使用するのか）について、１色目のふせんに各自の考えを書き出していきましょう（１枚のふせんに１つの事柄を書く）。３～５枚書けたら十分です。

（例）「デジカメ（園の行事の記録用）」「各クラスのデジカメ（日々の保育の中の子どもの姿を残しておくため、ドキュメンテーション作成用）」「職員室のコンピュータ（月案、週案などの作成用）」「各クラスのタブレット型端末（事務室との連携／保育室内で記録をとれるように）」「指導計画作成アプリ（月案・週案作成、個人記録作成）」など。

それぞれのふせんに記入したら、模造紙の「Mission」欄に貼りつけ、意見交換をすることを通して共通認識を図ります（10分程度）。

手順③ Keep（このままの取り組みでよいこと、続けていきたいこと、大事にし続けたいこと）の共通理解を図る 15分

５分程度で「Keep」について、２色目のふせんに各自の考えを書き出します（１枚のふせんに１つの事柄を書く）。３～５枚書けたら十分です。

（例）「各クラスのデジカメ活用はこのままでよい」「各クラスのタブレット型端末の使用方法は続けていきたい」「指導計画作成アプリは、月案についてはこれでよい」など。

それを模造紙の「Keep」欄に貼りつけ、意見交換をすることを通して、共通認識を図っていきます（10分程度）。

手順④ Problem（課題や問題点、うまくいっていないこと）の共通理解を図る 15分

５分程度で「Problem」について、３色目のふせんに各自の考えを書き出します（１枚のふせんに１つの事柄を書く）。３～５枚書けたら十分です。

（例）「デジカメで写真を撮るけれど、撮りっぱなしになっているものが多い」「各クラスのタブレット型端末を使用するタイミングが日々の業務に追われていて、日によってバラバラ」「指導計画作成アプリで記録をどの程度残すかについて、職員間でバラツキがある」「職員室のコンピュータの台数が少ない」など。

それを模造紙の「Problem」欄に貼りつけ、意見交換をすることを通して共通認識を図ります（10分程度）。

手順⑤ 「Try」（改善策、やってみたいこと、もっとやったほうがよいこと）のアイデアや意見を出し合う

13分

模造紙を眺めながら、「Try」をみなで知恵を出し合って、４色目のふせんに書き出していきましょう。これは１人ずつ別々に書き出すのではなく、みんなで話し合いながら書き出していきます。

（例）「デジカメで撮った写真をもっと活用するためにドキュメンテーションをつくってみよう」「職員室で指導計画作成アプリを使う際、使用予定表をつくって混雑を避けよう」など

（考え方）

- Keepで考えたことを踏まえて、より意識的に取り組んだり、充実させていきたいことは何でしょうか？
- Problemで考えたことを踏まえて、改善していく方法は何でしょうか？

ここで、できる限り具体的に「何をどうするか」と意見を整理すると、改善しやすくなります。「ドキュメンテーションをつくってみよう」よりも「１週間に１つ、ドキュメンテーションをつくる」、「デジカメで子どもの写真をたくさん撮る」よりも「１日１枚は、子どもの夢中になっている様子が伝わる写真を撮る」というように具体的に何をするのかについて意見交換しながら書き出すとよいでしょう。

Step 5 園内研修での学びを活かそう

「KPT法」での整理の仕方は、もっとテーマを絞って実施することもできます。たとえば「壁面構成」についても、何のために壁面構成をするのか（Mission）から考えて、「Keepしたいこと」、「Problemとして課題に感じていること」を出し合って、「Try」として「改善策」を考えていくというように１つのテーマに絞って実施すると、園内での意見交換が広がりすぎずに、視点や論点を絞って話ができます。

これまで業務をこなせてきたからこそ、不慣れなことが多いICT環境を使った業務の改善は、どうしても後まわしになりがちだと思いますが、使い慣れてくると便利なものです。園内で使い方のコツを伝え合ったりすることからはじめてみるのもよいかもしれません。

また、新型コロナウイルスなどの感染症の広がりや災害などで園を開園できないときの情報発信手段として、Youtubeなどでの動画配信や、ZoomやGoogle Meetなどのオンラインによるビデオ会議ツールなども、これまで以上に活用していくことが期待できそうです。

Case 12

「保育の評価とカリキュラム・マネジメント」の視点から

保育に対する「評価」は、その善しあしを「判定」するために行うものではありません。「日々の保育実践の意味を考え、次のよりよい実践へとつなげていく」ために、子どもの理解を中心的な課題としつつ職員間の対話を充実させながら、継続的に行う必要のある取り組みです。意味のある「評価」によって、各園の保育や教育の改善・充実の好循環を生み出し続けていくこと（カリキュラム・マネジメント）を促すための園内研修のテーマについて考えてみましょう。

Step 1 「キーワード」を導き出そう

example 「保育の評価とカリキュラム・マネジメント」というテーマから思いつくキーワードをあげてみよう！

1 保育の「評価」の基本

2 子どもの実態を踏まえた計画立案

3 記録や計画の活用

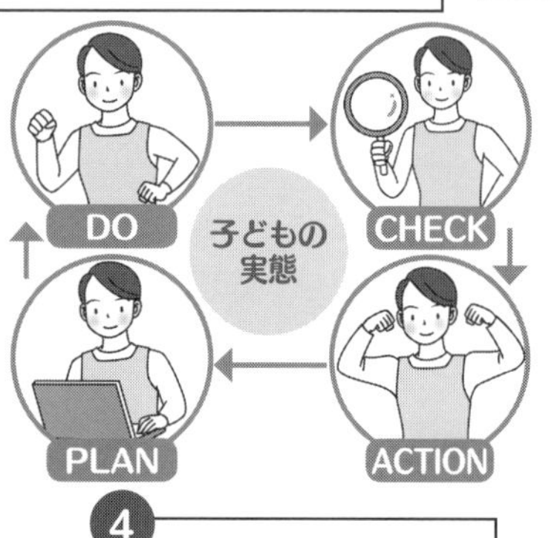

テーマ

保育の評価とカリキュラム・マネジメント

4 行事の見直し

5 管理職の役割

Let's think 自分自身の園の場合のキーワードも考えてみよう！

6

7

Step 2 「現状と目指したい保育の方向性」を確認しよう

example 「キーワード」から自園の現状（園全体・個人）と目指したい保育の方向性についてまとめてみよう！

❶ 保育の「評価」の基本

保育現場における評価の考え方自体を理解できていない職員がおり、その伝え方もむずかしい。保育の評価についてわかりやすく理解でき、また評価によって日常の保育が改善されていくという実感を伴うための取り組みついて考える場としたい。

❷ 子どもの実態を踏まえた計画立案

一人一人の子どもの育ちや学びをていねいにとらえていくことがカリキュラムの改善につながることは理解している。しかし、忙しいとつい子どもを急かしたりする職員もいる。子どもの「できた」ところをしっかりと認め、子どもという存在自体を肯定的に受け止めることのできるマインドとスキルを身につける場としたい。

❸ 記録や計画の活用

日常的に作成している記録や計画がほとんど生かされていない。負担感が多く、機械的に記録や計画を作成している実態もある。記録や計画が日常の保育を豊かにしていくものとなるようにしたい。ICT 技術を活用した書式の検討も行いたい。

❹ 行事の見直し

行事は、園生活に変化と潤いを与えるもののはずが、どうしても行事を行うための保育の計画になりがちで、職員の業務負担も大きくなっている。行事について、知恵を出し合いながら、職員全体で取り組む業務改善につながる研修の場にしたい。

❺ 管理職の役割

管理職の言動は、自園の職員に大きな影響を与えることは理解しているが、職員一人一人の保育に対する思いや仕事上の課題を共有しにくい状況がある。職員が互いに信頼し合い、保育の質の維持、向上につながる管理職の役割について考えたい。

Let's think 自分自身の園の場合も考えてみよう！

❻

キーワード
現状と目指したい保育の方向性

❼

キーワード
現状と目指したい保育の方向性

Step 3 「園内研修テーマ」を考えよう

example 「園の現状」から園内研修テーマ、研修内容を考え、その研修の参考となる資料をまとめてみよう！

	研修テーマの例	研修内容の例	研修の参考となる資料
①	保育における評価の意義やポイントを検討する	指針・要領等や国が示すガイドライン等をテキスト代わりに活用する。保育における評価の意義やポイントについて読み合わせを行い、自園で取り組めることを明らかにする。	・厚生労働省編『「保育をもっと楽しく」保育所における自己評価ガイドラインハンドブック』厚生労働省、2020 ・文部科学省『幼児理解に基づいた評価』チャイルド本社、2019
②	指導計画や子どもの写真から計画立案のヒントを出し合う	指導計画（週案や日案等）から、子どもの写真などを活用し、5 領域や資質・能力、幼児期の終わりまでに育ってほしい 10 の姿等の視点から語り合い、子どもの実態を踏まえた次の計画立案のヒントを出し合う。	・千葉武夫、那須信樹編『教育・保育カリキュラム論』中央法規出版、2019 ・無藤隆、大豆生田啓友編『子どもの姿ベースの新しい指導計画の考え方』フレーベル館、2019
③	記録や計画を見直し、共有し、新たな活用方法を検討する	日常的な記録や計画としてどのようなものが存在するのか、その具体物を職員全体で出し合い、共有し、新たな活用方法を検討する。同時に書式の改善や取り止めも検討する。	・厚生労働省「保育所における自己評価ガイドライン（2020 年改訂版）」2020 ・文部科学省『幼児理解に基づいた評価』チャイルド本社、2019
④	行事と行事に対する業務分担について可視化し見直しを行う	年間を通しての「行事」とその「事前・事後業務」一覧を作成し、各年齢別クラス担当者の取り組みがわかるように模造紙に記入する、時期的な偏りや学年別の業務量の偏りなどを可視化し行事の見直しにつなげる。	・秋田喜代美、馬場耕一郎監修、秋田喜代美、那須信樹編『保育士等キャリアアップ研修テキスト 7「マネジメント」第 2 版』中央法規出版、2020
⑤	「マネジメント」分野の研修内容を学び合う	ミドルリーダーが学ぶキャリアアップ研修「マネジメント」分野の研修内容について学び合う。	・矢藤誠慈郎『保育の質を高めるチームづくり―園と保育者の成長を支える』わかば社、2017

Let's think 自分自身の園の場合も考えてみよう！

	研修テーマの例	研修内容の例	研修の参考となる資料
⑥			
⑦			

園内研修に取り組もう

研修テーマ　保育における評価の意義やポイントを検討する

みなさんは「評価」という言葉を耳にしたとき、どのような印象をもつでしょうか。多くの人が「自分の保育の善しあしを指摘され、出来・不出来を判定される……」など、どちらかといえばネガティブな印象を抱かれる場合が多いのではないでしょうか。

しかし、「評価」のもつ本来的な目的や意義というものは、日々の保育実践を今日よりは明日、今年よりは来年というように、より豊かな未来の保育実践につなげていくための価値ある営みを創造し続けていく、まさに持続的なカリキュラム・マネジメントを展開していく点にあり、その基盤は「子どもの理解」という視点を職員間で共有していくことが何より重要な要件として位置づけられています。とはいえ、「言うは易し、行うは難し」であるのが、この「評価」を活かした「カリキュラム・マネジメント」の取り組みです。

ここでは、厚生労働省の「保育所における自己評価ガイドライン（2020年改訂版）」（以下、「ガイドライン」）ならびにその「ハンドブック」を参考に、保育の質の向上に資する評価の全体像を共有しつつ、全職員が日々の保育や業務についてより自覚的に評価に向き合っていくことを可能とする研修例を紹介していきます。

用意するもの	「ガイドライン」、「ハンドブック」、年齢別の子どもの姿をとらえた写真数点、指導計画、筆記記具、「カリキュラム・マネジメントシート」
研修時間	30～60分程度（年度内に複数回、可能な限り定期的に実施）
参加人数の目安	2人からでも取り組みは可能ですが、時間の確保ができるようであれば、必要に応じて0歳児クラス～5歳児クラスの代表1名ずつ計6人～＋管理職（保育所・こども園の場合）

手順　第1回目の研修：情報共有と意見交換を行う　30分

第1回目の研修は、まず参加可能な保育者と管理職で集まります。あらかじめ研修をコーディネートする担当者を決めておきます。各自「ハンドブック」を用意し、担当者による進行のもと、参加者全員で輪読します。記載された内容について情報を共有し、保育内容等にかかる「評価」の目的や意義について確認し、簡単な意見交換を行います。第1回目はこれでおわりです。

手順① 第２回目の研修：事前の準備を行う

参加可能な保育者と管理職で集まり、１回目と同様にあらかじめ研修をコーディネートする担当者を決めておきます。各自「ガイドライン」を用意し、参加者全員で記載された内容について情報を共有しますが、研修会当日までに、各自、目を通した上での参加を呼びかけることが肝要です。あわせて、「ガイドライン」の「保育の過程に位置付けられる保育内容等の評価」（左図）をA3サイズ程度に拡大コピーし、「カリキュラム・マネジメントシート」（以下、「カリマネシート」）として準備しておきます。

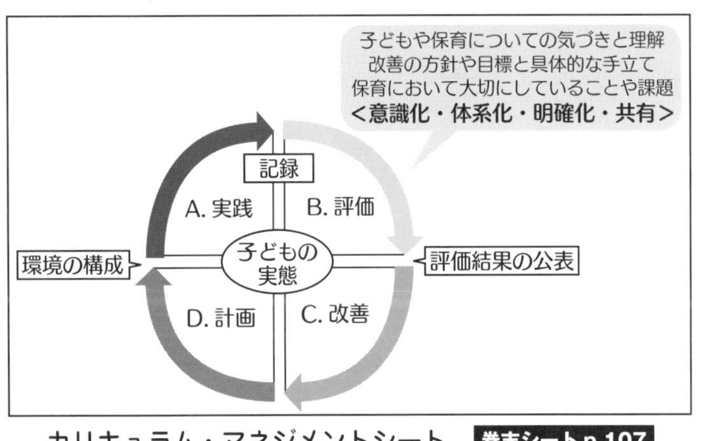

カリキュラム・マネジメントシート **巻末シート p.107**

厚生労働省「保育所における自己評価ガイドライン（2020年改訂版）」p.3

手順② 第２回目の研修：構造を確認し合う **20分**

「カリマネシート」と「ガイドライン」の「保育内容等の評価の目的と意義」（右図）をもとに、再度、保育における評価の目的や意義ならびにカリキュラム・マネジメントの構造を確認し合います。

保育の改善・充実	職員の資質・専門性向上
子どもの豊かで健やかな育ちに資する保育の質の確保・向上	
職員間の相互理解・協働	関係者（保護者等）との理解の共有・連携の促進

保育内容等の評価の目的と意義

厚生労働省「保育所における自己評価ガイドライン（2020年改訂版）」p.5

手順③ 第２回目の研修：写真をもとにカリマネシートを用い語り合う **40分**

参加者は各担当年齢の子どもの姿を撮影した写真をもち寄ります。０歳児の担当者、１歳児の担当者……という順で行うと発達のつながりも見えやすいでしょう。

話題を提供する担当者は、①手元の写真をカリマネシートの「A. 実践」の部分におき、その子どもの姿について、そのときの「指導計画」を紹介しつつ自由に語ります。②次に、写真を「B. 評価」部分へと移動させ、特定の「視点」を明確にし、共有した上でその子どもの育ちや学びを明らかにしていきます。たとえば、乳児であれば３つの視点（「健やかに伸び伸びと育つ」「身近な人と気持ちが通じ合う」「身近なものと関わり感性が育つ」）を踏まえて、また１歳児～５歳児であれば領域的な視点を踏まえて“気がるに”語り合います。ある程度語り合うことができたら、③次に、写真を「C. 改善」の部分に移動させ、日常の園生活の何を、また保育の環境をどのように改善していくことが可能なのかについて、互いに知恵を出し合います。④最後に、写真を「D. 計画」の部分に移動させ、翌日以降の具体的な計画を考え合う時間を取るといった流れです。これを順番に同様に進め、対話を深めていくというものです。

このように、カリマネシートの上に写真を置き①～④の流れを明確に意識し、語り合う視点を共有し対話を深めることがポイントです。対話によって自園の保育の方向性を確かめつつ、発達を踏まえた連続的な子どもの育ちや学びを意識していくことが可能となり、結果、カリキュラム・マネジメントにつながるきっかけを生み出します。

Step 5 園内研修での学びを活かそう

評価を踏まえたカリキュラム・マネジメントを実働させていく上で、日常的な記録や作成された計画の活用が期待されます。保育者個人のメモをはじめとする写真記録等を除き、活用する予定のない（活用できない）記録や計画は取らない、つくらないを徹底しましょう。そこで、先に紹介した園内研修の事例をさらに意味のあるものとしていくことができるように、そもそも自園における日常的な記録や計画としてどのようなものが存在するのか、その具体物を職員全体で出し合い、共有し、新たな活用方法を模索したり、書式の改善や取り止めも含めた検討を行う研修会を紹介します。

この研修では、「ガイドライン」の図「保育内容等の評価の全体像」（p.8）を活用しています。この図を参考に「①保育者による自己評価」「②園による自己評価」「③多様な視点を取り入れ活用する取組」の３枠を模造紙に書き込みます。園内研修を行うまでの２週間程度、園内の壁に貼りつけ、管理職を含む職員全員に、①～③の取り組みに該当すると思われる「記録」や「計画」の具体例を出してもらいます。具体例は、ふせんにその名称（名称がある場合）と内容を記入します。１枚のふせんに一つの具体例を記入し、模造紙の該当する番号のところに貼りつけてもらいます。提示された情報をおおよそ類型化し、キーワードなどをつけます。これで園内の記録や計画の全体像が浮かび上がってきます。

「子どもの実態にかかる記録」、「保護者にかかる記録」、「保育の環境にかかる記録」などなど、多様な視点からの記録や計画が存在していることが可視化されます。あとは、先ほどの「カリマネシート」を活用し、保育の質の向上を目指す取り組みとして対話を深めていくことになります。中央部分に記載された「子どもの実態」（これがテーマになる）を、たとえば「保育の環境にかかる記録」をテーマにして焦点化し、対話を深め、カリキュラム・マネジメントにつなげていくという取り組みとなります。

園内研修のさらなる活かし方

ここまで“みんなが活きる研修テーマの選び方”ということで、12 の Case（視点）を紹介してきました。園内研修は、テーマを決め実際に研修を行いそれでおわり、というわけではありません。研修を通して、保育の質の向上を目指し、“みんなで”保育をつくり出しているという実感と充足感を得ることが大切です。そのためにも、園内研修という機会やその成果を上手に活かしていきましょう。

ここでのポイントは、“みんなで”というところにあります。右図は、園内研修をどのように活用していくのかをまとめたものです。

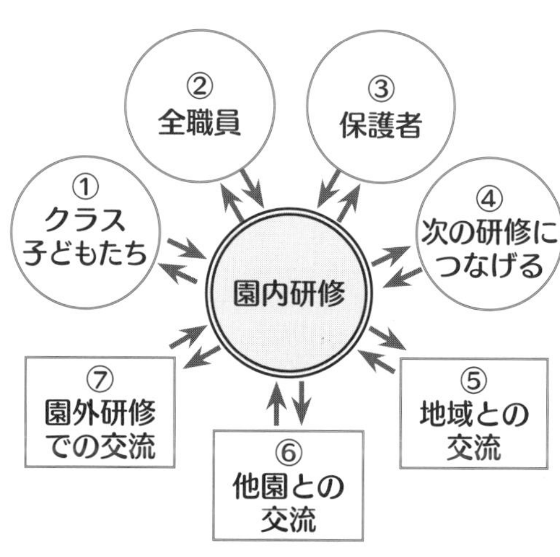

園内研修を活かす場と広がり

①研修での学びを、クラスでも日々の保育に活かす。
②職員間の相互理解を深めるために活用する。
③研修内容やその成果を園内に掲示したり、ホームページや園だよりに掲載するなどして、保護者に対して園内研修に対する理解と協力を求めるために活用する。
④参加者が、研修を通して学んだことや疑問に思ったことなどのフィードバックに活用し、次の研修につなげる。
⑤地域の中の保育資源（自然、人材、行事、施設など）を積極的に活用し、地域と協働した子育てのために園内研修を活用する。
⑥園長会や主任会、あるいは姉妹園や近隣の園と、園内研修の方法や成果についてドキュメンテーションなどをもち寄り情報共有し、園内研修のやり方などの改善に活用する。
⑦園外研修の際、他園の保育者と園内研修について積極的に情報交換し自園の研修にも取り入れる。

園内研修での学びを積み重ね、日常の保育の質が高まってきているという実感がもてるようにするために、研修で得た成果をどのように活かしていけばよいのか、その活用例を３つ紹介します。

研修での学びをクラスにもち帰り日々の保育に活かす

―「ラベルノート」づくり（個人としての活用方法）

ふせんに情報を書き込み、貼ってはがせるというふせんのメリットを最大限に活かし整理しながらつくるノートのことを「ふせんノート」（本書 p.80 ～ 81 参照）とよびますが、ふせんだけではなく「シールラベル」（本書 p.18 参照）も使い、単なる情報の整理に留まらず、創造性を引き出す思考ツールとしてのノートの活用のあり方について紹介していきます。ここでは「ラベルノート」とよぶこととします。

準備するものは、ノート１冊（おすすめは方眼タイプのノート）・色や形の違うふせん（シールラベル）数種類・色ペンのそれだけで十分です。園内研修や園外研修で学んだことや考えたこと、疑問に思ったこと、日々の保育などでの気づきや保育に対する考え・アイデアなどをラベルに書き、それを日ごろからノートに貼って整理しておけば、研修や会議のときに役立ちます。次回の研修テーマが決まっていれば、あらかじめふせんに意見を書いておくこともできますし、テーマを意識して保育を行えば気づきも増えていきます。ラベルには必ず日付と書いた人の名前を入れること、誰が読んでも意味がわかるように一つの主張を文章で記載することがポイントです。

自分一人で解決できない問題が発生したとき、行事や日々の保育でよいアイデアが出ず行き詰まったときなど、他の保育者から「お助けラベル」を１枚書いてもらいましょう。１枚だけなので、空いている時間に書いてもらえばよいので頼みやすいと思います。ラベルを介して他の職員との交流を促し、楽しく思考を整理しアイデア出しや課題発見などにつなげていきましょう。イラストも書き込み楽しく創造的なノートをつくりましょう。

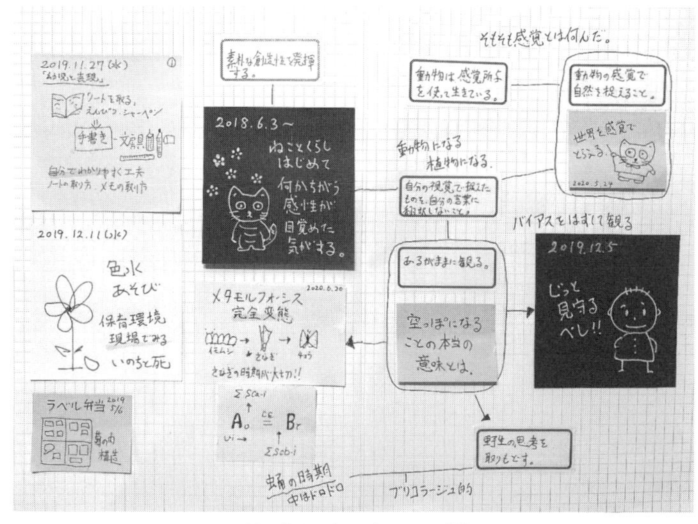

ラベルノートの一例

② 研修での学びをフィードバックし次の研修につなげる

―「ラベル新聞」づくり（研修のフィードバック）

研修をおえたら、毎回参加者全員シールラベル１枚に、「研修を通して何を発見したか・何に気づいたか・何を学んだか・どこがわかりにくかったか」など具体的に書いて、研修の振り返りに活用していきましょう。感想ラベルは、１人１枚１文という手がるさですから、記入も５分程度でおわります。むしろ１枚ではたりないくらいでしょう。後日、参加者の代表（もしくは園長・主任）が全員の感想ラベルを用いて図解化し、「ラベル新聞」として職員室に掲示し、コピーを配布して参加者が何をどう学んだのかを共有していきましょう。感想ラベルによるフィードバックは、次回の研修や自身の保育へのモチベーションの向上にも大きな役割を果たします。「他者の目を通して、自分では気づけなかったことに気づくことができる」「自分と違う考えに触れることで、多様な価値観を受け入れることにつながる」などの効果も期待できます。

【ラベル新聞のつくり方】

①思い込みや偏見を捨て、すべてのラベルを数回読みポイントとなる箇所に線を引く。
②ラベルとラベルを集めて枠取りし、その共通点などを短い文章にしてまとめる。
③ラベル同士の関係性に配慮し空間配置し、全体のまとめを書き込む。

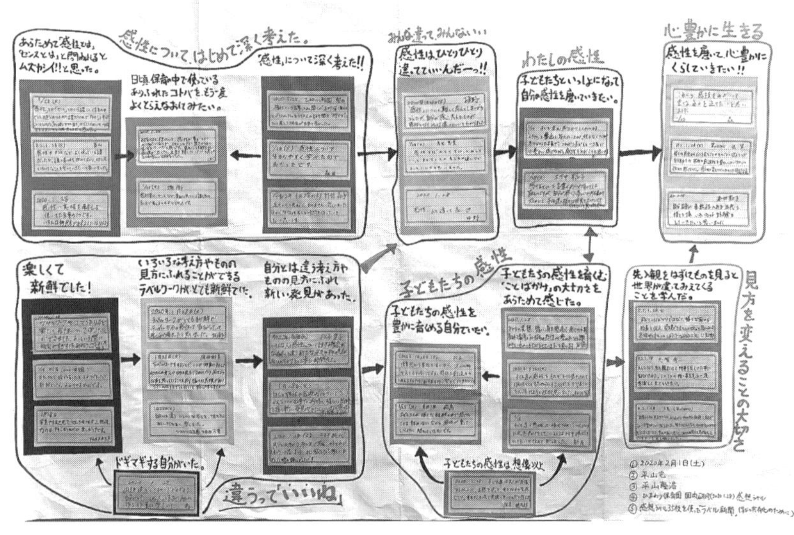

ラベル新聞の一例

③ 地域と協働した子育てのために園内研修を活用する

── 地域の人たちと一緒に“まち歩き”（保育教材マップ）

一年を通しての自然環境、畑や田んぼ、公園の植物、商店や工場、公共施設、そして地域の行事や文化、幅広い年齢層やいろいろなスキルをもった人など、保育者自身が自園を取り巻く環境について知ることは、多様性のある保育を創造するためには欠かせません。しかし地域外から通勤してきている職員がほとんどという園も少なくないでしょう。地域の保育資源を見つけるためには、地域在住の人にたずねるのが一番です。地域の人たちと積極的に交流し一緒にフィールドワークを行い保育に活かしましょう。

以下、地域の中の保育資源（自然、人材、行事、施設など）を積極的に活用し、地域と協働した子育てのために園内研修を活用する例を紹介したいと思います。

【五感で観察する“まち歩き”フィールドワークのすすめ】

① 「活用したい地域の保育教材」というテーマで園内研修を行う。「七夕の笹竹、近くで手に入らないかな」「秋になったらどんぐり拾いに出かけたいな」「伝承遊びが得意な人、近くにいないかな」「おいしいお菓子屋さんはないかな」など、日ごろの保育や行事などで活用したい地域の保育資源についてふせんに書いて「地域の保育教材知りたいマップ」としてまとめる。

②「知りたいマップ」をもとに、町内会や公民館の人に相談し、地域の人と保育者が一緒になって“まち歩き”を行い、五感で観察し「○○園ご近所保育教材マップ」をつくる。

③「○○園ご近所保育教材マップ」は、毎年アップデートしていく。マップづくりを通して知り合った人たちとのつながりを大切にし保育計画を立てる。

保育教材マップの例（○○園ご近所保育教材マップ）

以上のように、研修を通して見えてきた自分自身の日々の保育の現状や課題について、省察し改善し続けていくための創造的なノートをつくるところからはじめてみましょう。次に職員間の共通理解や保護者、地域の人との関係づくり、他園の保育者との交流に研修の場と内容を広げ、「みんなが活きる」園内研修にカスタマイズしていきましょう。

Let's challenge!

外部研修での学びを活かし、実りある園内研修へ

園内研修は、職場内の研修であり、個々の保育者にその意図が反映されやすいこと、リアリティのある問題を取り上げ、即役立つこと、計画を立てたり、継続的に実施したりしやすいことなど、数々の利点があります。職員間の人間関係を活かして、心置きなく意見を出し合ったり、お互いが具体的に教え合ったりすることで、問題解決や質向上につながりやすく、その成果も見えやすいといった点もあげられます。しかし、園内では、同世代の保育者数が少なかったり、得意な分野などの重なりが少なかったり、身のまわりや具体的な内容に制限され、視野が狭くなるなどといった課題もあると思います。

一方、外部研修では、要領・指針等の改訂のポイントや今日的課題、最新の知見、より専門特化した内容を学ぶことができます。より広い視野と多様な視点を得て、自園のよさや課題を再確認し、新たな問題意識や質向上へのアイデアを得ることもできます。外部研修を個人の研修として位置づけるのではなく、園全体に還元することが望まれます。

1 報告書の様式の工夫

多くの園で、研修報告書（次頁および巻末資料④ p.108 参照）は、（A）研修テーマ、（B）研修概要、（C）研修の感想で構成されています。しかし、そこにもう一行設けて、「自園・私にとって」といった欄を設けることにより、自明性や必然性、問題意識が変わり、研修後の具体的な行動目標が立てやすくなります。また外部研修の内容を自園にもち帰り、園内研修などで紹介するときにも、自分や自分の園との関係性がわかりやすくなり、役立ちます。

たとえば、（A）研修テーマについては、横に欄をつけ足し、「自分の得意分野との関係」

研修報告書

記録者：（　　　　　　　　　　　　　　　）
日　時：　　　年　　　月　　　日（　　）
場　所：（　　　　　　　　　　　　　　　）

(A)【研修テーマ】	自分の得意分野との関係	今、知りたいこと	園で課題としていること	次回園内研修で取り上げるべきこと
(B)【研修概要】	自分のクラスの子どもの姿の例	自分の実践例	自分はすでに知っていた（既知の内容）	自園ではどういった実態か
(C)【研修の感想】 (a) 環境の再構成 (b) 教材づくり (c) 援助の工夫（子どもに何を話す、どう話す、何を見せる（行為モデルも含む））				
（自園・私にとって）				

研修報告書の様式例 巻末シート p.108

「今、知りたいこと」「園で課題としていること」「次回園内研修で取り上げるべきこと」という観点から、コメントを付しておきます。

(B) 研修概要についても、それぞれについて、「自分のクラスの子どもの姿の例」「自分の実践例」「自分はすでに知っていた（既知の内容）」「自園ではどういった実態か」などの自園の子ども、自分、園の実態を書き加えておきます。

(C) については抽象的な感想、たとえば「知らないことがたくさん学べてためになった」といった記述は避けたいものです。これでは、「何を」知らないのか、「たくさん」とはどのくらいを指すのか、人によって違うのでわかりにくく、また「ためになった」かどうかはどうやってわかるのかなど、あいまいな記録となって、外部研修後にその記録を読み返しても活用しにくいものとなってしまいます。感想には、具体的な行動目標を記載することとし、「この研修で○○○を学んだので、○○○のように、どこどこの環境を○○○風に変える」「○○○のような掲示を作成してみる」といったように、(a) 環境の再構成、(b) 教材づくり、(c) 援助の工夫（子どもに何を話す、どう話す、何を見せる（行為モデルも含む））についての感想を具体的に書くようにします。外部研修報告書の様式を各園で工夫することにより、外部研修が実りある園内研修へとつながります。

② 全体像を共有し、年次計画の作成に活かす工夫

外部研修に参加する上で、保育者が自身の体系的なキャリアアップの全体像の中でどう位置づくのかをあらかじめ知っていると、参加への意識も変わってきます。自分に期待されていること、つまり、今こういった力を蓄えることで、園の中でどのように役割を果たすことが可能かを知ることになります。過度ではない期待は、育ちの原動力になり、また自負につながります。

たとえば、「保育士等（民間）のキャリアアップの仕組み・処遇改善のイメージ」（平成28年度厚生労働省委託事業シンポジウム「保育士のキャリアパスに係る研修体系等の構築に向けて」平成29年3月7日開催）の資料では、キャリアアップのイメージを、①新任（おおむね3年まで）、②分野別リーダー（おおむね3～7年）、③副主任、④主任（主幹保育教諭）、⑤園長といった形で階層化し提示しています。また、保育教諭養成課程研究会では、幼稚園教諭・保育教諭としての成長図を表しています（下図参照）。こういったものを園内に掲示したり、研修で配布したりして、日ごろから、保育者としての成長を自分で意識したり、目標がもてるようにしましょう。

外部研修に行く保育者は、たとえば、私立幼稚園連合会の研修俯瞰図や全国保育士会の俯瞰図に目を通すとよいでしょう（次頁参照）。この表を活用すると、①初任者（目安：3年目までの職員）、②中堅職員（目安：4年目から5年目の職員）、③リーダー的職員（目安：6

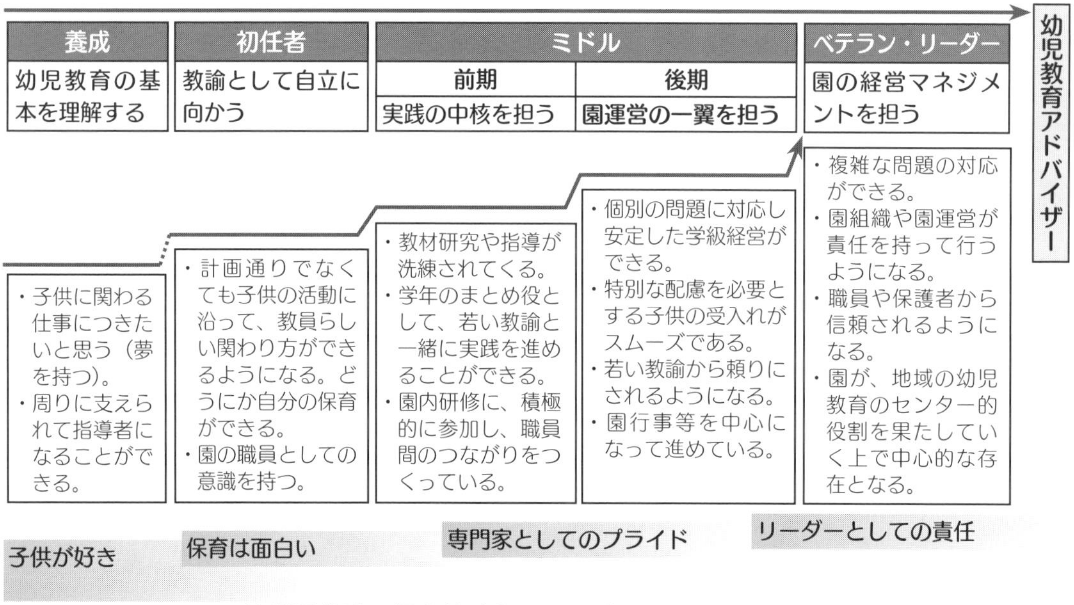

養成	初任者	ミドル		ベテラン・リーダー
		前期	後期	
幼児教育の基本を理解する	教諭として自立に向かう	実践の中核を担う	園運営の一翼を担う	園の経営マネジメントを担う
・子供に関わる仕事につきたいと思う（夢を持つ）。 ・周りに支えられて指導者になることができる。	・計画通りでなくても子供の活動に沿って、教員らしい関わり方ができるようになる。どうにか自分の保育ができる。 ・園の職員としての意識を持つ。	・教材研究や指導が洗練されてくる。 ・学年のまとめ役として、若い教諭と一緒に実践を進めることができる。 ・園内研修に、積極的に参加し、職員間のつながりをつくっている。	・個別の問題に対応し安定した学級経営ができる。 ・特別な配慮を必要とする子供の受入れがスムーズである。 ・若い教諭から頼りにされるようになる。 ・園行事等を中心になって進めている。	・複雑な問題の対応ができる。 ・園組織や園運営が責任を持って行うようになる。 ・職員や保護者から信頼されるようになる。 ・園が、地域の幼児教育のセンター的役割を果たしていく上で中心的な存在となる。
子供が好き	保育は面白い	専門家としてのプライド		リーダーとしての責任

→ 幼児教育アドバイザー

幼稚園教諭・保育教諭としての成長（中堅を中心に）

保育教諭養成課程研究会「幼稚園教諭・保育教諭のための研修ガイドⅣ」（文部科学省「平成29年度幼児期の教育内容等深化・充実調査研究」の委託費による）保育教諭養成課程研究会、2018

階層	初任者 ※入職３年目までの職員	中堅職員 ※４年目から５年目の職員	リーダー的職員 ※６年目から 10 年目の職員	主任保育士・主幹保育教諭等管理的職員 ※ 11 年以上の職員
求められる保育士・保育教諭の姿	①「子どもの最善の利益の尊重」の理念を理解し、基礎的な保育実践ができる。 ② チームによる保育のなかでの自分の役割を理解し、助言を受けながら日常的業務を実施できる。 ③ 安心・安全な保育を意識できる。 ④ 家庭から子どもに関する日々の情報を収集するとともに、日々の保育内容等を保護者に的確に伝えられる。 ⑤ 保護者の話を聴き、適切な対応を行うことができる。 ⑥ 保育者自身が自己の能力を発揮し、自己実現できる。	① 的確な判断・対人理解に基づく保育を実践できる。 ② 安心・安全な保育を実践できる。 ③ 自らの保育を客観視・言語化し、保育のあり方、内容を向上させるために、同僚や上司と確認や議論ができる。 ④ 保健・医療を初めとする関連領域について一定の知識をもち、他職種と適切に連携できる。 ⑤ 業務改善、組織の活性化に貢献できる。 ⑥ 自己の能力を理解し、資質の向上を図ることができる。 ⑦ 初任者の手本となる行動を示し、日常的業務について助言できる。 ⑧ 家庭から子どもに関する日々の情報を収集するとともに、日々の保育内容等を保護者に的確に伝えられる。 ⑨ 保護者の話を聴き、適切な対応を行うことができる。 ⑩ 保育実践研究を行うことができる。	① 各クラスや小チームのリーダー（とりまとめ役）として、チーム員を率先できる。 ② チーム員同士の「気づき」や「情報」を共有し、保育研究をリードしたり、学んできた専門知識と、経験に基づき、保育の実践を深め（または探求し）展開し、伝えたりすることができる。 ③ 他職種と共通の認識に立ち、保育の目標設定、実施、評価などを行うことができる。 ④ チーム員に対し、日々の業務における適宜・適切な指導・助言を行うことができる。 ⑤ 主任保育士・主幹保育教諭をサポートし、クラス等のチームの業務改善や、目標が達せられるよう促すことができる。 ⑥ 制度や社会について十分理解できる。 ⑦ チーム、組織に対して、業務の改善、システム化など、常に問いかけと働きかけを行うことができる。 ⑧ 保育所・認定こども園等を利用していない地域の子育て家庭に対して、適切な助言・支援などを行うなど、地域全体に向けた子育て支援に取り組むことができる。 ⑨ 関係機関と関わり、必要な調整を行うことができる。 ⑩ 自己の能力を理解し、資質の向上を図ることができる。 ⑪ 養成課程の現状を把握し、実習指導の方法を習得し、実習指導ができる。 ⑫ 保育実践研究を企画・立案・指導ができる。	① 保育士・保育教諭を統括し、サービス水準の向上、業務推進の管理、環境整備等の責任を負うことができる。 ② 組織として「子どもの最善の利益の確保」が実施できているかどうか、保護者とのパートナーシップによる保育が実践できているか、子育てにおける地域の中核機関としての機能を果たしているか、などを把握し、必要な指導・教育を実施し、人材を育成することができる。 ③ 園全体の保育士・保育教諭の責任者として、運営管理、人事管理、組織目標（保育水準や経営目標）の策定や評価に関わり、達成する。法令遵守と倫理の実現を堅持し、リスク管理（予防・早期対処）を適切に行うことができる。 ④ 関係機関との連携責任者として機能することができる。 ⑤ 地域に働きかける（保護者会や子育て関係のNPO等の支援や組織。地域資源の強化・開発と活用、新しいサービスの創造・開発）ことができる。 ⑥ 施設長と連携・協働し、施設全体の保育の質の維持・向上に努め、適正な施設運営の一翼を担うことができる。 ⑦ 領域別の高い専門性を有する。
業務	・日常の保育業務、チームによる保育業務の経験を積む。 ・保育指導計画を策定する。 ・保護者との連携に基づく保育を行う。 ・保護者支援（言葉がけなど）を中堅職員の横で同席する。	・初任者の指導をする。 ・保護者との連絡・調整を行う。 ・保護者に対する相談援助を行う。 ・初任者と日々の業務を共有する。 ・リーダーや副主任との連携をすすめる。	・主任保育士・主幹保育教諭を補佐、一定の業務単位における職員の管理、指導、評価など、組織運営を補佐する。 ・地域の子育て支援の取り組みを担当する。 ・チームによる保育業務を支援・指導する。 ・自身の保育の特徴を認識、それを活用する。 ・リーダーは、職員の話を大事に聞く。	・所長を補佐し、保育所・認定こども園等全体の職員管理、指導、評価など組織運営に携わる。 ・保育指導計画を評価する。 ・全体像を見つつ、職員に適切にアドバイスする。 ・園長・施設長の補佐、指導計画の評価指導、自己評価の二次評価を行う。

保育士・保育教諭の研究体系：「求められる保育士・保育教諭の姿と業務」

保育士等のキャリアアップ検討特別委員会報告書「保育士・保育教諭が誇りとやりがいを持って働き続けられる、新たなキャリアアップの道筋について」全国保育士会、2017

年目から10年目の職員)、④主任保育士・主幹保育教諭等管理的職員(目安：11年以上の職員)のキャリア・ステージごとに、自分の研修がどの段階にあるのかが確認できます。また、どういった力量がつくのか、どういった役割が期待されているのかを、あらかじめ意識しておくと、研修の位置づけがより明確になり、研修への意欲へとつながると考えます。

事務室などに、研修年次計画の拡大版を模造紙で作成し、そのどの部分について誰が参加したのかを記録しておくと、ちょっと気になることや知りたいことができたときに、「この研修を受けてきたAさんに、資料をもらおう」「この先生に相談して、アドバイスをもらってみよう」といった形で外部研修を園内の学び合いに活かすきっかけとなります。外部研修を個人の研鑽としてのみではなく、共有の財産として活かすことが可能です。

研修の年次計画の見直しは、園のスタッフの総合的な力量の底上げと、個々の得意分野の開発とのバランスをとりながら行うことが理想的です。そのために、研修の年次計画の策定を園長や主任、リーダーのみにゆだねるのではなく、園のスタッフの多くの意見や思いを反映してなされることが望ましいでしょう。

「園内研修テーマについて園のスタッフの意向調査をしたが、積極的な提案がなかなか見られない」、という声を園長や主任から聞く機会も多いです。自分の研修実績や、自分の研修への期待が、園の研修年次計画に反映されていると感じることができるように、工夫することが大切であると考えます。

③ 人間関係を広げる、つなげる工夫

外部研修(オンラインによるビデオ研修などを含む)では、講師のみならず、グループワークなどで他園の保育者と知り合う機会が得られます。自分の園内では、同世代の人が少ない場合もあります。得意分野や学びたいことが重なっているスタッフが少ない場合もあります。また、保育者不足の今日、一つの外部研修に同一園内から複数人数で参加することも、困難になってきています。これらを考えると、外部研修での出会いを活かして、語り合ったり相談し合ったりできる人間関係を広げていくことが望まれます。園外の保育者同士の関係性は、友人関係でも職場の同僚関係でもないので、ある程度の距離感もあり、お互いに敬意を払いながら、地域の保育専門職として情報を共有したり、保育についての意見を付度なく交換できる関係づくりが可能であると考えられます。

参考文献一覧

（著者五十音順）

・E.H. シャイン、金井壽宏監訳『問いかける技術―確かな人間関係と優れた組織をつくる』英治出版、2014
・北野幸子監修、大阪府私立幼稚園連盟第26次プロジェクトメンバー『子どもと保育者でつくる育ちの記録―あそびの中の育ちを可視化する』日本標準、2020
・公益財団法人全日本私立幼稚園幼児教育研究機構監修『改訂新版　研修ハンドブック』世界文化社、2018
・厚生労働省「保育士等キャリアアップ研修の実施について」2017
・厚生労働省編『「保育をもっと楽しく」保育所における自己評価ガイドラインハンドブック』厚生労働省、2020
・厚生労働省『保育所保育指針解説』フレーベル館、2018
・全国保育士会「保育士・保育教諭のキャリアアップにおける階層と期待される保育士・保育教諭像及び業務にあたって必要な知識と技術」2017
・全日本私立幼稚園幼児教育研究機構「保育者としての資質向上研修俯瞰図」2018
・保育教諭養成課程研究会『幼稚園教諭・保育教諭のための研修ガイド』保育教諭養成課程研究会、2018
・保育士等のキャリアアップ検討特別委員会報告書「保育士・保育教諭が誇りとやりがいを持って働き続けられる、新たなキャリアアップの道筋について」全国保育士会、2017
・内閣府・文部科学省・厚生労働省『幼保連携型認定こども園教育・保育要領解説』フレーベル館、2018
・那須信樹他『手がるに園内研修メイキング―みんなでつくる保育の力（改訂版）』わかば社、2017
・林義樹編『ラベルワークで進める参画型教育―学び手の発想を活かすアクティブ・ラーニングの理論・方法・実践』ナカニシヤ出版、2015
・守巧、幸喜健、那須信樹「保育所における子育て支援媒体としての「連絡帳」の活用をめぐって―保育士への実態調査より」保育文化研究集第10号、2020
・文部科学省『幼稚園教育要領解説』フレーベル館、2018
・矢藤誠慈郎『保育の質を高めるチームづくり―園と保育者の成長を支える』わかば社、2017

下記は使いやすいサイズにコピーし使用してください。枠内を約150％拡大でコピーするとA3サイズの用紙になります。

園内研修テーマ検討シート

記録者　　　　　　　　年　　月　　日

①テーマを決めましょう。

②テーマから思いつくキーワードをあげてみましょう。

1

2

3

4

5

6

③キーワードから思いつく園の現状や目指したい保育の方向性などをあげてみましょう。

1

2

3

4

5

6

④園の現状や目指したい保育の方向性から、行ってみたい研修テーマをあげてみましょう。またその研修はどのように行ったらよいか内容を考え、資料なども集めましょう。

	研修テーマの例	研修内容の例	研修の参考となる資料
①			
②			
③			
④			
⑤			
⑥			

下記は使いやすいサイズにコピーし使用してください。枠内を約150%拡大でコピーするとA4サイズの用紙になります。

子どもの姿記録シート

クラス名（　　　　　　　　）（　　）歳児　園児氏名（　　　　　　　　）　年　月　日

	A：対個人：先生	B: 対個人：友達	C: 対集団
a: 相手に気持ちを伝える場面			
b: 相手の気持ちを聴く場面			

クラス名（　　　　　　　　）（　　）歳児　園児氏名（　　　　　　　　）　年　月　日

	A：対個人：先生	B: 対個人：友達	C: 対集団
a: 相手に気持ちを伝える場面			
b: 相手の気持ちを聴く場面			

クラス名（　　　　　　　　）（　　）歳児　園児氏名（　　　　　　　　）　年　月　日

	A：対個人：先生	B: 対個人：友達	C: 対集団
a: 相手に気持ちを伝える場面			
b: 相手の気持ちを聴く場面			

クラス名（　　　　　　　　）（　　）歳児　園児氏名（　　　　　　　　）　年　月　日

	A：対個人：先生	B: 対個人：友達	C: 対集団
a: 相手に気持ちを伝える場面			
b: 相手の気持ちを聴く場面			

クラス名（　　　　　　　　）（　　）歳児　園児氏名（　　　　　　　　）　年　月　日

	A：対個人：先生	B: 対個人：友達	C: 対集団
a: 相手に気持ちを伝える場面			
b: 相手の気持ちを聴く場面			

下記は使いやすいサイズにコピーし使用してください。枠内を約200%拡大でコピーするとA3サイズの用紙になります。

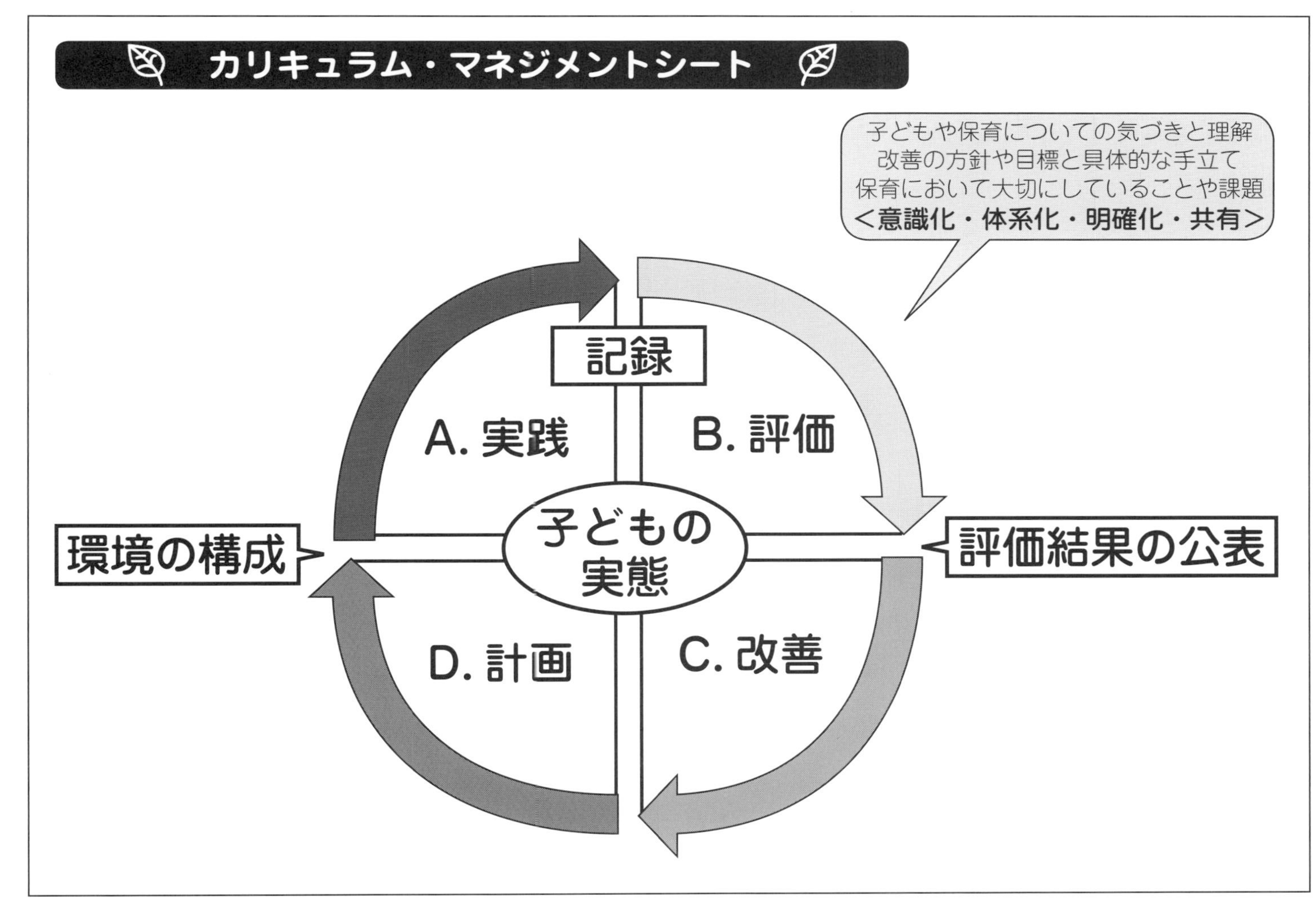

下記は使いやすいサイズにコピーし使用してください。枠内を約150%拡大でコピーするとA4サイズの用紙になります。

研修報告書

記録者：（　　　　　　　　　　　　）
日　時：　　　年　　　月　　　日（　　）
場　所：（　　　　　　　　　　　　）

【研修テーマ】	自分の得意分野との関係	今、知りたいこと	園で課題としていること	次回園内研修で取り上げるべきこと
【研修概要】	自分のクラスの子どもの姿の例	自分の実践例	自分はすでに知っていた（既知の内容）	自園ではどういった実態か

【研修の感想】

（自園・私にとって）

著者紹介

※執筆担当は、もくじ内に表記。

代表 **那須 信樹**（なす のぶき）　中村学園大学教育学部　教授

主な著書：『手がるに園内研修メイキングーみんなでつくる保育の力』（共著、わかば社）、『保育者論』（共著、ミネルヴァ書房）、『保育士等キャリアアップ研修テキスト7 マネジメント』（編著、中央法規出版）、『Let's have a dialogue ! ワークシートで学ぶ保育所実習』（編著、同文書院）、他。

矢藤 誠慈郎（やとう せいじろう）和洋女子大学人文学部　教授

主な著書：『保育の質を高めるチームづくり』（単著、わかば社）、『保育者論』（編著、中央法規出版）、『改訂版 保育教職実践演習 これまでの学びと保育者への歩み一幼稚園・保育所編』（共著、わかば社）、『認定こども園の時代』（共著、ひかりのくに）、『教育原理』（編著、全国社会福祉協議会）、他。

野中 千都（のなか ちづ）　中村学園大学教育学部　准教授（中村学園大学付属あさひ幼稚園 園長）

主な著書：『生活事例からはじめる保育内容一言葉』（共著、青鞜社）、『新時代の保育双書　乳児保育 第４版』（共著、みらい）、『保育内容「言葉」一話し、考え、つながる言葉の力を育てる』（編著、同文書院）、『保育内容総論一生活・遊び・活動を通して育ちあう保育を創る』（共著、同文書院）、『乳児保育の理解と展開』（共著、同文書院）他。

瀧川 光治（たきがわ こうじ）　大阪総合保育大学児童保育学部　教授

主な著書：『０～５歳児 春夏秋冬 環境づくり すぐに使える378のアイディア』（単著、ひかりのくに）、『保育者論』（共著、中央法規出版）、『日本における幼児期の科学教育史・絵本史研究』（単著、風間書房）、他。

平山 隆浩（ひらやま たかひろ）　西日本短期大学保育学科　教授

主な著書：『すべての感覚を駆使してわかる乳幼児の造形表現』（共著、保育出版社）、『「ちびた色鉛筆」が教えてくれたこと』（共著、ARTing2012、第８号、福岡・芸術文化の創造と思考）、『ラベルワークで進める参画型教育』（共著、ナカニシヤ出版）、他。

北野 幸子（きたの さちこ）　神戸大学大学院人間発達環境学研究科　教授

主な著書：『保育原理』（編著、中央法規出版）、『認定こども園の時代』（共著、ひかりのくに）、『保育原理』（共著、全国社会福祉協議会）、『地域発・実践現場から考えるこれからの保育一質の維持・向上を目指して』（単著、わかば社）、他。

何年にも渡り継続して、指定校研究や公開保育、研修会、園内研修等でお世話になっている園の先生方に深く感謝申し上げます。各園および研究部会などをはじめ、多くの貴重な写真や事例の本書への掲載・提供等に快くご協力いただきましたみなさまに心よりお礼申し上げます。

著者一同

【協力園】（園名は五十音順）

えんぜる保育園（福岡県福岡市）、霧ヶ丘幼稚園（福岡県北九州市）、くさみ幼稚園（福岡県北九州市）、神戸大学附属幼稚園（兵庫県明石市）、七宝こども園（愛知県あま市）、第２長尾保育園（大阪府枚方市）、第２ひまわり保育園（福岡県福岡市）、中央保育園（佐賀県佐賀市）、中村学園大学付属あさひ幼稚園（福岡県福岡市）、真こども園（愛知県津島市）

● 本文イラスト　西田ヒロコ
● 装　丁　タナカアン

気がるに 園内研修スタートアップ
みんなが活きる研修テーマの選び方

2020 年 9 月 16 日　初版発行
2022 年 10 月 10 日　初版 2 刷発行

著者代表　那 須 信 樹
発 行 者　川 口 直 子
発 行 所　（株）わかば社
〒 173-0004　東京都板橋区板橋 2-46-12
tel(03)6905-6880 fax(03)6905-6812
(URL)https://www.wakabasya.com
(e-mail)info@wakabasya.com
印刷 / 製本　シ ナ ノ 印 刷（株）

ISBN 978-4-907270-31-5 C3037